Dian

Das geschenkte Leben

Band 4

Für die Liebe auf Erden

Es ist das jedwede Sein.

Bedingungslos das Ewige.
Bedingungslos der Frieden.
Bedingungslos die Liebe.
Es ist gesegnet alles ist.
Es ist das Licht das ALLES eint.
Es ist die Liebe die alles fühlend erkennt.
Es ist das Unsterbliche Leben des Liebenden Frieden.
Es ist Wahrheit tief als Erdensein.

Es ist.
Und es war immer das IST.
Nie vergeht die wahre Daseinsform Seele.
Nie vergeht der Geist des Wissens - ES IST.
Es ist das jedwede Sein.
In allem Lebenden IST.

Diana Mandel
20.07.2018
Und es ist ...
Das rote Band der Liebe...
was ...
Für die Liebe auf Erden ist.

Diana Mandel

Das geschenkte Leben

Band 4

Für die Liebe auf Erden

Lektorat: ...niemand...
(N ur I st E s MAND el)
Layout und Umschlaggestaltung: Diana Mandel.
Herstellung und Verlag:
BoD – Books on Demand, Norderstedt
ISBN: 9783749485291

Für die Liebe auf Erden
Band 4– Das geschenkte Leben -

Inhaltsverzeichnis

Das Inhaltsverzeichnis geht weiter am Ende des Buches auf Seite 323. So ist das.

Vorwort

Es gibt kein Zurück.

Von dort, wo ein Leben als Hier ist Jetzt, geboren ist. Es gibt nie ein Zurück. Außer du kehrst ein in die Wahrheit, die bedingungslos in der DEINEN eigenen MITTE liegt. Dort - liegen die Segensgefüllten Alimente - die aus dem VOR der ZEIT - dir mitgegeben sind. Wenn du glaubst die Wahrheit ist ein bunter Hund, der sich grenzenlos in jegliche Farbgewalt von dir drehen lassen wird, dann mach dir bewusst, alles was bunt und farbgewaltig ist und jedoch dich nicht absolut als Summensein Farben in einem einzigen Licht nur leuchten lässt, dieses ist nichts anderes als weiß, dann wisse, dass du gemischt hast um es dir leuchtend zu malen. Doch das Malen ist ein Zustand, wo du etwas selbst erschaffst. Du kreierst etwas aus etwas, was dir zur Verfügung steht. Nun, ist ein Bild was gemalt ist, immer ein Abbild eines Etwas was aus dir heraus, gegeben ist. Du hast es geschaffen. Aus dem Unsichtbar, Feinstofflichem deines Gedankensein und Erfühlens von einer Idee oder einer Realität, die du dann aus deinem inneren zu äußerem Wahrnehmen in die Transformation aus dem Innen in das Außen bringst. Es gibt kein Zurück. Da klingt es im inneren Raum als wie ein Echo als Ewig wirst du das im Ohr haben, was du selbstverständlich mitgebracht - schon hast. Der Klang gibt den Ton. Die Stille ist der unendliche Raum dieses wahren Traums. Gesungen die Morgenlieder der Schöpfung. Geboren die lebenden Lichter. Allesamt - eine Farbigkeit. In der Summe dessen was die Alimente waren, die als Unsterblichkeit nur eines sind.

Weißes Licht. Das Zurück ist das Vor. Bedingungslos seit dem ersten Herzensschlag als dein Körper ist das lebende da. Bis zum letzten Tropfen. Bist du gefüllte Wahrheit. Die 1:1 die Wirklichkeit ist. Der Vogel ist dein Inbild lebend. Der Baum gleich Stein ist summengleich das Gleich in dir. Das Staubkorn, Regentropfen, jede Blume. Das Element Erde ist als Spiegelsein das In dir atmende Bewusstsein. Beeindruckend. Das Alimente gegebene Füllepaket. Wie als sei es ein Geschenk? Ja. Es ist - vollkommen ein Geschenk.
Das geschenkte Leben.
13.07.2019

Der Zustand des Sichtbarsein. Fundament Leben, heißt das was ich sehe, dass ist gegeben? Fundament Mensch, heißt das was ich sehe, dass ist das was gegeben? Ein schöner Mensch. Eine schöne Frau. Ein schöner Mann. Was ist denn schön? Ist es schön, wenn das Gesicht lacht? Und ist es schön wenn die Haare schön zurecht gemacht? Und wenn Schminke und Kleider das Menschsein eingepackt als Schönes Wundersein erklären?

Schön bist du. So oft wie ich dies höre, so oft teile ich mit. JA. Das bin ich. Ich bin schön. Denn ich bin dort wo die Schönheit weiß was sie ist. Es ist keine Schönheit eines Kleides. Und auch nicht das Außenherum ist das was einen Menschen schön sein lässt. Was der Inhalt von Schönheit ist. Benötigt keine Sicht gleich Spiegel. Benötigt kein Drumherum und Utensilien um etwas zu gestalten. Was gestalten, wenn die Gestalt schon fertig gegeben ist. Elementar trägt eines vollkommen die Sichtbarkeit zu Tage. Aus dem Dunkel eines nicht sichtbaren Raumes, erklärt sich ganz und gar selbst, die Wahrheit des Schönseins, aus dem innersten in die Auslebung zu einem, dem Außen. Alles ist schön. Sogar die dunkelsten Ecken, gleich mit allen Mitteln zu versuchenden Löcher. Sogenannte schwarze Löcher. Da fallen die ganzen dunklen Geheimnisse hinein. Da versteckt sich dann ganz allein das allerletzte Glaubensgut, ich bin so sehr, das ganz allein. War ich doch ausgeliefert gleich so sehr verletzt. Und ist es doch die Wahrheit, meine, niemand hat was für mich gemacht. Und dann. Wer soll denn das verändern, was schon damals mich um allen Verstand gebracht.

Das KIND.
Das himmlische Kind.
Diese Erde gefüllt mit diesen vielen Körpern.
Gefüllt mit Glaubensgütern, die bedingungslos
sich selbst verloren haben.
Da ist nix mehr was glaubt.
Und da ist nix mehr was traut.
Und vor allem, nur das was ich sehe - ist das was ist.

Wie ein Kind? Ja. Fundament Leben. Lauter Kinder atmen als Körperkleid. Diese Kinder. Immer diese Kinder. Hört das denn nie auf? Dauernd wissen sie es besser? Dauernd denken sie dass sie es schon können? Immerzu verlangen sie, noch mehr?

Sarkasmus tropft aus jeder Zelle.
Das ist das interessante Geschehen,
wenn Menschen miteinander "reden".
Kein Witz ist das.
Und kein Unikum was nur manchmal ist.

Die Kinder. Alle.
Groß wie klein.
Es sieht so aus, die sind tatsächlich alle das ALLEIN?

"Du bist schön".
- Ach sag das doch nicht. Ich bin das nicht.
Damit kann ich nicht umgehen. -

Du bist schön.
Oh ja.
Das bin ich.
Wunderschön.

Denn Schönheit atmet immer aus sich selbst heraus, ist ganz aus dem Unsichtbaren kommt heraus ins Sichtbarsein, das Lebende Körperkleid als strahlendes Licht was als ein Gesamtes Zellgeschehen, diese Sichtbarkeit ist. Doch wie kommt es das man weiß, was diese Schönheit ist? Was ist denn Inhalt von Leben? Was ist denn das Machende es ist nun Leben?

Wer hat es denn gemacht?
Oh. Der liebe Gott.

Lieber Gott.
Warum weinen denn alle Kinder?

Weißt du mein Kind,
sie wissen nicht wie schön sie sind.

Wahre Worte.
Gnadenlose Worte.
Bedingungslose Worte.
Sehr einfache Worte.

Und nur jedes Selbst ist die Selbst-INHALTS- gebende Spiegelung, aus diesem Unsichtbar, was war es nur? Das dann plötzlich war das Kleid als Körpersein die Schnur? Oder ist es dann doch der rote Faden? An dem sich alle laben?

Was will die Liebe hier sagen?

Es ist alles gegeben - um alles zu haben.
HABEN.
Es ist schon.
Und nicht es wird erst.

Doch solange du nicht selbst - zweifellos - alle schwarzen Löcher in dir in die Wahrheit - des tatsächlichen Inhaltes - gebracht hast, wirst du weiterhin nur wahrnehmen, was du anfassen kannst. Sehen. Und einkleiden und oder schminken.

Hingabe - heißt - HINGEBEN. SICH SELBST. Und es im Dunkelsten der eigenen gelebten Erfahrungen erkennen, was diese eine - und es ist nur eine - WAHRHEIT ist.

LICHT.
Heißt LICHT.

Ich bin schön.
Danke Gott.
Hast du doch den Spiegel mir geschenkt.
In jedem und allem.

Und es ist wie es ist.
Solange Mensch zweifelt, sieht er es nicht.
Solange Mensch nicht glaubt was es ist,
solange wird er nicht wissen was es ist.

Alles da.
Um vollkommen aus der Fülle das zu leben,
was in schönster Liebe geschaffen ist.
UM ES ZU SEIN.

21.07.2019

Danke du mein Liebster dieser Daseinsform Lebendes als Liebe, ist der Segen des Himmels atmet als Erde. So selbst. So sehr selbst. Gabst du mir das wahre Dasein lebend. Wie eine Blume atmet mein Herz in jedem Augenblick wie Atemzug. Wie eine Blume öffnet sich mein Herz in allem was das Lebende ist. Du ließest mich sein. So sehr das Allein, im wohl wissenden Glauben, dass ich es selbst zu erkennen vermag. Was ich bin. Und das ich es bin. Die Feder liegt in deinen Händen. Gleiches ist das Rosenblütenblatt des geschenkten Trauens. Ich war die Wurzel deines geborenen Lebens. Damit du es als Geschenk mir offenbarst. Dass ich es bin. Du. Als ich selbst trage das deine Herz in mir. Summengleich die gegebene Liebe. Summengleich die lebende Treue. Summengleich die Harmonie des Gewahrsam sein es ist gesegnet in allem Lebenden da. So summengleich diese Wahrheit atmet.

Als es ist der Himmel lebendes da. In der Klarheit des Spiegels beschenkt der Mann die Frau. Als ehrendes wissendes Versprechen. Diese Erde als Mutter geboren, um der Inhalt des allgegenwärtigen Vaters zu sein. Mein Gebären war dein Leben. Mein zu gebären war das meine Sein als deines immer. Als die Summe lebte weinte der Tod. Denn es fielen die blutroten Tränen wirksam in die Heiligkeit des ewigen Friedens. Der schon geboren war, als diese Not den Tod des Kindes scheinbar brachte. Als die vielen Scharen waren die Engel das allgegenwärtig. Als diese vielen Stimmen, sprachen die weisen Worte wirksam aus dem Gedankensein der Liebe lebend. Als ein Wunder wirkte dein Lebendsein zu meinem Gedächtnis. Als ein Wunder bewirktest du durch dreimal Nein, dass ich es wahrhaft lebe. Das ich weiß wer du bist. Das ich weiß was du bist. Das ich weiß warum du bist. Denn ich habe dir den Glauben in deine Wiege gelegt. Damit du ihn mir als Lebendes Ja, als Spiegelsein zu geben bereit bist. Das Wunder der Weihnacht. Als eine liebende Rose im Gedächtnis der Allgegenwart Gottes, zur einfachen lebenden Liebe, erwacht. Als dein Spiegel, Stein. Als deine Liebe, Stein. Als das du bist ich, Stein. Das ist das Ende. Dieser wunderbare Anfang. Und es atmet das Licht. Wie du selbst. Zweifellos da, gleich als ein Mädchen die diesen Mann einfach liebt. Schon immer. Und für immer. Und noch etwas. Du bist einfach nur eines. WUNDERBAR. Danke liebster G:M:W: Für dich - als das du bist ich. Sonnenklar - dir schon lange. Sonnenklar - dem Himmel schon immer. Sonnenklar - der Mond / die Mondin sagt einfach nur eines. JA. 20.07.2019

Für heute ein Wort. Für heute eine Fülle an Wahrem Bewusstsein, was es ist. Für heute. Sag ich dir, du bist als gleiches Samensein das Hier. Doch in der Summe deines Hier es sein, als gleiches Sein wie ist mein Sein, da darf für dich das Heute endlich sein. Denn eines mag ich dir jetzt sagen. Du wurdest zweifellos - ganz gleich geboren. So gleich wie ein Baum. Und so gleich wie eine Blume. Und auch so gleich wie ein Wurm, gleich ein Vogel. Und auch so gleich wie der Wind, gleich das Wasser. Und wie das Feuer welches nichts anderes ist als nur eines. Der Spiegel des deinen geglaubten Wahren Dasein, was ist das Leben. Das der Stein als Erdenmanifest die Allzahl der Alles ist eines als Gleiches Sichtbarsein war und ist, es ist die eine Zahl die als Eines ist alles, das Gleiche nur ist. Drei ist Eins. - In allem gleiches zu gleichem das gerichtete Gericht. Dreiklang ist Einklang. Mehr ist es nicht. Doch. Und dies für heute - mein Wort an dich. Solange auch nur ein Hauch an Zweifel - in dir ist - bist du nicht ich.

Liebe weiß, denn Liebe ist.
Licht weiß, denn Licht ist.
Frieden ist das Drei ist Eins.
Gesegnetes Leben,
das schon gegebenes Unsterblich sein ist.

Die Wahrheit ist der Spiegel der Wirklichkeit. Die Wirksamkeit ist die Kraft der allgegeben Macht es ganz und gar zu sein. Das was Gott gegeben - in allem - es ist das Gleiche LEBEN. Ich bin sein Kind. Gesamtes Liebendes Da. Um für dich der Spiegel zu sein. Wenn du glaubst, ich bin es nicht.

Bist es du ... der, die, das, es ist, welcher - dem Glauben erlegen ist, dass es ist ein anderes Sein. Doch das andere Sein ist nicht das Dasein des wissenden Glauben was die Wirklichkeit des höchsten Tones Erden ist. Denn das Licht ist das Ja. Gleich die Liebe ist das Ja. Und es ist der tiefste Frieden der strömend atmet in alles Leben. Das bedingungslos nur eines atmet. JA. Wenn du mir glaubst, glaubst du dir. Denn du bist ich. Wahrheit? Gott - gab - lebenden Segen. Sonst - nichts. Du entscheidest deinen Glauben. Denn geboren aus dem ewigen Leben dein Kleid ist der Körper der als DU bist es, das Echo als Wahrheit spricht. Ich bin nur eines. Dein Spiegel. Mehr - nicht. Doch ... glaub mir das mal ganz einfach. Weniger - garantiert - auch nicht.
20.07.2019

Geschenkte Treue. Ist die Antwort auf die Freiwilligkeit der Liebe. Ist die hingegebene Wahrheit, es ist das Ende was der Anfang war. So leicht ist die Wirklichkeit als Lebendes zu Erden. So unbeschwert gleich in allem alles hörend, sehend, fühlend, wissend, ist die Wirklichkeit es gibt nur eines. Wenn die Samen es leben,

als das was sie geboren wurden, um es zu leben. Frei und willig selbst es finden. Was in allem Selbst die Gleichsamkeit der Wahrheit atmet. Ist der Spiegel Himmelerde Licht. Ist die Wirklichkeit als lebend da. Ist die Ehrlichkeit als segensreich gefülltes Ewig sein als Spiegelsein das wahre Sein. Mein Name ist Liebe. Geboren als die Liebe atmete den ersten Augenblick, vor einer Zeit die als Zeitensein die Unsterblichkeit beschreibt. Der geschenkte Himmel ist die Antwort auf die Frage des Lebens als Erde. So bindet sich einfach die Wahrheit mit Licht. So findet sich einfach der Glaube als wirksamstes Wissen. Und so atmet die Ewigkeit des liebenden Gewissens, der Samen Gottes ist das Reich. Das Reich was ist das Erdensein. Geboren ward das Kind als Spiegel. Gegeben ward der Segen lebend. Es ist. Es ist. Die Liebe atmet - als geschenktes Lebend hier. Ich bin du - weißt du das? So sei ich - denn dann singst du mit mir als ein Gleiches Gedicht. Leicht und schwerelos ist die Feder die sich selbst gefunden in allem Lebenden erfährt. Und die hingegeben Treue. Schenke ich dir, als mein bedingungsloses JA. Ist das Leben nicht schön? Oh. Vater, der du bist die Erde wie der Himmel. Es ist wundervoll. Ich danke dir.
20.07.2019

Ich bin hier, als des deinen Samen wahrer Spiegel. Bin als Sammelleben, Himmel - Erde. Bin als Für dich, Wir es ist das Gleiche. Bin nur ich und doch das Ganze. Bin nur Selbst und doch das Gesamte. Bin nur Diana. Und doch bin alle. Bin. So bin ich was es ist. Was als Ewig sein der Spiegel Liebe ist. Aus dem Licht geboren.

In das Licht gegeben. Um als Licht das Licht in Licht zu sein. Samen sind des lebenden Ursprung. Samen ist der gegebene Frieden der als Wahres Bewusstsein die Lebenden als sie sind im Gleichen Sein der Toten gegeben. Frohlockende Wirklichkeit atmet der Glaubende Wissende, als Spiegelgeschenktes Trauendsein zu Ehren des im Himmel atmet des ewigen Gedächtnisses Wahrheit des gesegneten Lebens. Du bist das Hier es sein. Summensein des Lichts. Gegeben die Wahrhaftigkeit - es ehret das Lebende die Unsterblichkeit als singende Liebe. Es ehret die Wahrheit den Inhalt des allgegenwärtigen Wissens - als alles ist das Inne liegende im Selbst ES IST GEGEBEN. Freiwillig singt das Staubkorn dem ehrenden Himmel gegeben war es als Tiefster Ton die Erde lieben. Als tiefster Samen Gottes schenken. Den Spiegel. Den Spiegel der barmherzigen Wahrheit. So ist es die Antwort. Als ein Ja du bist ich. So ist es die hingegebene Treue, als ein Ja, ich bin du. So ist es der Vater wie die Mutter aller Gedanken. Es durchströmt die Wahrheit tiefst als Spiegel das jedwede Lebende. Geschenkt. Geschenkt die Antwort. Die als schon gegeben ist, als du bist hier. Weich ist das Ende. Leicht ist das Ende. Unsterblich war der Anfang. Es ist das Lied. Dieses hohe Lied. Nur eines, es ist es. Die Liebe. Atmet als hier.
20.07.2019

Für das Zeitensein der Schwere ging ich in das lebende Bewusstsein. Um dem Inhaltsein der Erde es zu geben, das Schwerelos des Himmelsein. Wie die Feder sich bindend eint mit dem Staubkorn des Steines. Wie das gefallene Blatt, welches sich hingebungsvoll dem Wind gleich dem Wasser anzutrauen vermag, so atmet es aus dem Mir in das Zu Dir, als ein Spiegelsein Dornenlos ist der Samen der Liebe. Schwerelos gleich alles durchwirkend, ist das Dreiklang Geschehen des Geschenkten Lebens als ein In sich vollkommenes Wundersein für das ganze Erdensein, gegeben. Zu tiefste Wahrheit spricht als Hingegebenes liebendes Ja. Zu tiefstes Wissen ist der Ursprung des gegebenen Glaubens. Und es ist das runde gegebene Ganze, was als Einheit die Unsterblichkeit bindet. So sind es die Seelen die atmen als Körper. So sind es die tatenreichen Selbstspiegelungen die sich in allem als das Gegebene Trauen als Antwort das Echo des Himmel Erdensein berühren. Du bist der Segen. Spricht die Stille in den Raum, der als Sichtbarkeit der ewige Spiegel des zurückgekehrten Gotteskindes ist. Du bist das Alpha ist Omega zu einem Klange lebend. Spricht die Stille in den Raum, der als Sichtbarkeit der ewige Spiegel des zurückgekehrten Gotteskindes ist. Du bist die Liebe, Kind. Du bist das Licht, Kind. Du bist das Wir, Kind. Du bist das In ist Aus des wissenden Glauben, Kind. Du bist der Frieden, Kind. Du bist um zu sein. Für das Zeitensein des Schwerelosen Wirklich sein. Ich bin das Hin gebende Leben. Als ein Wunder, denn ich bin das Wunder. Als ein Wahres. Denn ich bin das Wahre. Als eine Feder. Denn ich bin die Feder.

Als eine Rose. Denn ich bin die Rose. Als ein Stein. Denn ich bin der Stein. Meines - ist Deines. So gebe dich hin. Denn es ist das Gegebene da. Es atmet die Wahrheit als Wir ist die Wirksamkeit des Sternenmeeres Himmelsgrund ist Lebensgrund. Ist Spiegelsein der tiefste Atem - Erdengrund.
20.07.2019

Geboren in der Zeit. Geboren war es in der Zeit. Was als zeitenlos schon immer existiert. Was als gesamtes Ganzes in der Wahrheit schon immer nur geatmet hat. Geboren um zu sein. Dieses Spektrum Wirksamkeit als segensreiches Jetzt ist Hier das wahre Sein.

So sanft schwingt die Wahrheit durch die summenden Lebenden. So liebevoll atmen die Herzen wenn sie dem Licht zu trauen wagen. So sinnbildlich lebend ist die liebende Mär als ein Meer der lebenden Liebenden, wenn die Inhalte dies leben, was sie sind. Ich liebe dich, atmet die Sonne zum Mond. Oh. Ich liebe dich als bist du mein sichtbarer Spiegel. Atmet der Mond wie als einen unglaublich zarten Hauch in dieses weiche Licht der Sonne. Wir beide sind eins. Des Lebenden Regensein ist das Tor ist die Tür nun geöffnet. Es ist der Mond der den Inhalt preisgibt. Es ist die Sonne die sich aus dem Herzen heraus, so sehr freut. Es sind die Gesänge der Sterne. Die es als ganz Geeintes nun vollziehen. Das es gibt ein Fest. Zu einem einzigen Grunde geboren. Das Manifest Liebe zu ehren. In dem Zustand sein Sie sind gegeben. Ich liebe dich so sehr. Der Atem des Mannes besingt zauberhaft den Hals der Frau. Es sind diese Schauer des Glücks. Es sind diese kleinsten Gepflogenheiten des wissenden Ja. Es sind diese wunderbaren Rosen. Die dem Inbild dieser einen Liebe sich bedingungslos ergeben. Ich liebe dich. Nur als ein Hauch. Diese Antwort. So leise. So wundersam leise. Wird ausgesprochen was in dieser Wahrheit schon immer wohnte. Du hast es gewusst. Immer. Ja. Mein Engel. Ich habe es gewusst. Denn die Zeit war der Moment wo ich wusste du bist da. Es wird sein. Ja. Mein Herz. Es wird sein. Denn es ist. ... So still und gemeinsam. So liebevoll und das vollendete Miteinander. So einfach nur. Und doch sind es Zwei. Wir singen das Lied, mein Liebster. Ja. Meine Blume. Wir singen.
Und leben. 19.07.2019

Bedingungslos die "Liebe" LOSLASSEN. Ist immer das Mögliche. Und dies vollkommen wirksam seiend. Ganz bewusst. Und ganz und gar im Hier gleich Jetzt.

Ist ALLES möglich loszulassen.

Denn NICHTS auf dieser Erde was lebt und atmet, ist einer auch nur einzigen Bedingung unterstellt. So kann man sogar das INNEN als NICHTS MEHR erkennen, um vollkommen in der SELBSTHINGABE jegliches - loslassen - was als Stein zu Sein verinnerlicht war. Ja. Bis in den Tod. Dieses gnadenlose Geschehen des JEDWEDEN LEBENS, ES WIRD ENDEN. So auch bedingungslos die reinste Liebe. Wird als Körpersein das Gehen sein. Und auch mit nichts zu halten, wird irgendwann es ENDE sein. Was bleibt übrig? Wenn ein Körper sich bedingungslos dessen hingibt was das reinste des Lebenden ist. Das NUR SEIN von dem Dasein was das Lebende der Essenz ist? Was bleibt übrig? Ein Körper der lebt und atmet, und NICHTS MEHR NICHT ERKENNT als BEDINGUNGSLOSE WAHRHEIT. Es ist nichts mehr in diesem Körper da seiend was anderes ist als Essenz. Das ist nur Nondual. Und nur Eines. Licht. Obwohl es stockdunkel ist, innen, trotzdem immer Licht. Was übrig ist, ist ein wissendes Dasein was unendlich nur eines ist. RUHIG. Und gelassen. Und wissend, es wird nichts sein. Denn nichts kann mehr sein außer Frieden. Keine Spiele werden mehr gespielt. Keine Hin und Her Kommunikationen werden mehr geführt. Keine Halbheiten werden mehr gelebt. Man ist ein EINS das alles weiß. Dies - nicht unbedingt ein Zustand der innerhalb dieser DUALEN Menschenwelt, eine immerwährende Freude ist.

Eher wie ein - dauerndes - ich lasse es durchgehen - ich lasse es durch mich gehen - es wird nichts anhaften. GAR NICHTS. Was außerhalb von Wahrem Dasein der Nondualen Wirklichkeit ist. Es gibt keine Lüge. Die zu jemandem gebracht werden kann. Denn es gibt nur den Zustand von SELBST belügen. - Denn es ist immer nur SELBST. Brachial und elementar. LIEBE als Spiegel wird niemals erfolgen wenn Nichtliebe der Urheber ist. Das bedeutet - das Spiegelgeschehen ist lediglich die Energie die als Liebe scheinbar kommt, wird bedingungslos - durch das Selbst geatmet und vollkommen ruhig - sein gelassen. Das URTRAUEN und zwar Bedingungslos das UR und das SELBST ist das einzige Trauende MIT eines Menschen, was als Vorhandenes Dasein des ECHTEN und wahrhaftigen - anzusehen ist. Natur - in allem, ob Jahreszeiten, gleich Vegetation der Pflanzenwelt, sind Spiegel des Selbst - als reinste Wahrheit. Gleich es die Tiere sind. Doch - auch nicht wirklich alle Tiere die mit Menschen leben und von diesen geprägt wurden. Heißt, Haustiere auch, genau gleich wie Menschen im dualen Zustand des Zweifelgeschehen. Und ZWEIFEL sind niemals Spiegel von dem was SEELE und GEIST ist. Das ist Menschgemachtes Verletzt sein. Denn das KIND was geboren worden war - irgendwann in diesem Leben - kam so nicht auf diese Welt. NIE. KEINER. Alles eingeprägtes Verhaltensgut was in den ersten Lebensjahren das nachfolgende an Dasein - sehr bedeutsam zu prägen weiß. Wie lebt man als geheilter Mensch? So, dass ein jeder Tag ein guter Tag ist. Zum Leben und im gleichen zum Sterben.

Fassungslos. Ja. Das ist es. Und fassungslos ist das was Menschen seit Urzeiten glauben, dass sie zu leben haben - müssen? Schade. Denn es ist als lebt man alleine auf dieser wunderbaren Erde. 47000 km Umfang und überall das Gleiche Spiel. Als wären sie tatsächlich Spieler. Denn man kann sie zählen. Die, welche nicht mehr spielen. Sondern LEBEN. Und zwar das was sie sind. Ich bin NUR ein Körper. Und NUR jemand der nichts gibt außer Wahrheit. Doch es ist so, dass dies auch schon immer so war. Denn es gab so manche wenige Menschen die das auch lebten, was ich selbst lebe. Dass nichts es gibt, um nicht vollkommen in der LIEBE zu sein. Und zwar in der NUR EINEN. Der ehrlichen und wissenden Liebe. Der nur schenkenden, und nicht benutzenden Liebe. Dieses Miteinander was sich da so lebt, überall auf dieser Welt. Es ist echt - ein Schlamassel. Traurig. Die Wahrheit ist nur eines. Diese Menschenerde ist ein sehr trauriger Haufen. Sonst nichts. Und die paar Lichter die da wirklich lebend sind, das sind die einzigen Sonnenstrahlen die mein Herz von Körper zu Körper dann sehr liebevoll berühren können. Alles andere geht vorbei. Und durch. Denn eines lernte ich - zu Beginn dieses Lebens. Wie man atmet. Sind Menschen stolz? Auf das was die Erde lebt? Ich nicht. Ganz klares Nein. Denn es gibt keinen Grund stolz zu sein. Dafür das die Mehrzahl der Mitmenschen sich lieber bekriegt, anstatt das zu leben was vollkommen gegeben ist. Bedingungslose LIEBE. Und vor allem eines. WAHRHEIT. Und zwar die eine - die alle - egal wen - und egal wo - als alle ist eines verbindet. Ja. Ich bin alle. Doch was ein Glück. Bin ich MEIN WIR allein.

Denn - so - weiß ich, das NICHTS an Nichtliebe JE FRUCHTEN WIRD IN MIR. Das UR ist mein Trauen. Und nur das UR ist mein Führender Gebender der alles - in allem bindend trägt. Sogar die Spieler. Die, die nicht wissen was sie tun.
17.07.2018

Dein Glaube erschafft dein Sein.

Doch ist es EIN Glaube der alles Sein geschaffen hat.
Aus einem tiefsten Glauben der nichts als Güte ist.
Liebe ist Licht in sich birgt,
wurde das Sein als ALLES IST LICHT gegeben.
Dieses Sein das alles ist. Ist der Inhalt dessen,
was als tiefster Glaube gespiegelt lebend ist.
Liebe ist das tiefste Gegebene Glaubensgut als Es ist
die Summe aller Samen ein einziges nur.
Bedingungslos es atmet Lebendes als LICHT.
Frei und willig geboren.
Als freies und williges selbst es geben.
Was geboren war. Als Glaubensinhalt der Liebe.
Die als In allem Sein das Sein als eines ist. LICHT.
Glaube ist Wissen in dir.

In dir.
Der Himmel verankert ist.
TRAU DICH.
Trau dich der Glaube zu sein.
Denn GLAUBE hat aus tiefster Liebe dich
als Lebendsein gegeben.
Die Liebe singt für dich das hohe Lied.
Das Ende in allem das Nahe da.
Doch es ist der Anfang der es war.
Die Ewigkeit atmet bedingungslos JA.

Für die Liebe bin ich hier.
Um als dein Spiegel es zu geben dir.
Was du bist.
Als gleiches hier.

08.07.2019

Das Einfachsein der Liebe.

Ein Körper lebend als Seele gleich Geist das Körpersein in sich ist. Ganz ist Seele gleich Geist das gesamte Geschehen des gesamten Lebenden Körper, der als ein EINES ist ALLES, es aus dem Innen in das Außen atmet. GANZ. Es ist nicht ein Ort in dir wo deine Seele ist. Es ist dein gesamtes Lebendes Da, was deine Seele ist. Im Gleichen der Geist. Nicht in deinem Gedächtnis nur er liegt. Er ist als Ganzes das DU in allem du wirkst und bist das lebende Gebende Da. Die EINHEIT ist ohne das Eine gleich wie das Andere nicht als VOLLKOMMENES überhaupt als Zellgeschehendes Lebendes da.

Eine EINHEIT der Wahrheit. Das Dreigeschehende des Einen Seins. So ist das Feinstofflich in Wirksamkeit im Stofflichen das In allem verwebte als Bindemittelglied des Unsterblichen in, mit, durch, aus, sterblichem. Das Ungetrennte Miteinander ist das wissende, vollkommen in Ruhe atmende Lebende des Dreigeschehen in, aus, durch eines. Die Stille der Wahrheit ist der Spiegel der sich in Resonanz dem Echo ganz hingibt. Der Segen ist das Lebende Hier. Denn es regnet Liebe aus allem Lebenden da. Das Licht ist die Summe. Der Beginn, wie die Mitte gleich das Ende, was dem Schwerelos der Wirklichkeit bedingungslos ergeben ist. Atmest du ein. Atmest du alles ein was du bist. Atmest du aus. Atmest du alles aus was du bist. Und die selbst gegebene Treue. Als du selbst gibst dein Gesamtes als Spiegelsein Himmel, ist die Antwort von Gott. Denn er schenkt die bedingungslose Resonanz des JA. ES IST.

Der Impuls der Liebe. Ist du fühlst, das es ist. Im gleichen Moment wo du es denkst, ist als Spiegelsein das Licht im Herzen atmend. Der Impuls des Lichts, ist du weißt, das es ist. Im gleichen Moment wo du es in deinem Herzen spürst und deinen gesamten Körper durchfließt, ist als dein Geist das gesamte Spektrum deines Handelnden Tuns deines Körpers, als Einklang gegebenes JA. So sind deine Gedanken in allem Innen der Geber des Ja. So ist dein Spüren gleich Fühlen in allem das Zugeneigte und alles durch und durch liebende Ja. Federleicht ist die Wahrheit. Wenn du es als Lebendes atmest. Ganz und gar dich hinzugeben. Deinem Lebensursprung in dir. Deine Quelle ist als jede Zelle deines Daseins ES LEBEND.

Trauen ist der Inhalt von Glaube. Und es ist das Wissen des Geistes was deinen Körper als geistiges INNEN zu einem AUßEN Gleiches ist Gleiches - macht. Das Drei-geschehen ist das Lebende HIER ist ORT ist LEBENDES. Jetzt ist immer ist schon gewesenes - war. Zeitlos das was dein In dir liegendes ist. Zeiten sein das, was dein Körpersein als Lebendes macht. Zeitlos es lebend sein.

Dies ist - als JEDER ist ES - gegeben.
Mit jedem Atemzug, indem du selbst trauend,
dich dem In dir hingibst.
Wirst du - es selbst und verständlich erfahren.
Was es ist.
Die Liebe gleich das Licht.
Die Wahrheit gleich die Wirklichkeit.
Das du selbst - der Segen bist.
06.07.2019

Es gibt keine Illusion. Es gibt dort wo Wahrheit atmet nur das Zustand geschehende, dass etwas als Vision aus dem Unsichtbar in die Sichtbarkeit transformiert wird. Wenn lebender Glaube als Wirklichkeit atmet, ist das Wissen was Gedanken sind, der Schlüssel, dass es nur eines als innen ist außen, die Wahrheit ist gleich Wirklichkeit transportiert. Und diese bedingungslos und vollkommen genau, wie es im Innen erfahren wird, im Außen sich dann manifestiert. Im Gleichen genau so, sich spiegelt. Das Fundament Wahrheit. Es ist das Wissen was die Unsterblichkeit in allen 3 Lebens Erscheinungen, die als Sichtbarkeit Körpersein das Miteinander auf dieser Erde sind. Ob Natur, Tier oder Mensch. Es ist in allen der gleiche Lebensprozess der stattfindet. Das Gedankensein ist das nicht laut sprechende Geistige Kommunikationsgeschehen aller 3 Wesensarten. So atmen alle 3 Lebenden Körpergeschehen, das gleiche ein wie aus, um als jeweiliges Selbstgeschehen in sich gleich unter sich das Miteinander zu erfahren. So kommen die Gedanken des Menschen bei allem an. Ob bei Natur, Pflanzen, oder auch bei Tier, und natürlich auch bei allen anderen Menschen. Die Informationen werden getauscht ohne Wort. Als zu mittelndes Instrument das fühlende Wissen, dessen was der Lebensgegebene Inhalt als ein alles Gleiches ist. Das Zustand-geschehen Leben ist Austausch von Energie. Somit ist die Wirksamkeit als Element UR, das Bewusstsein des In ist AUS Licht. Die Dichte des Lichts ist die Konsequenz des Schwerelos. Denn federleicht ist die Wirklichkeit dessen, das der jedweden Essenz, als was ist Lebendes im Hier ist Jetzt Körpersein, es ist. Vollkommener Glaube ist die Transformation des Bewusstsein dessen was die Wahrhaftigkeit als Unsterbliches in Körpersein, was werdend, seiend gleich vergehend ist, ist.

Der Prozess des FÜR LEBEN ist das natürliche Verhaltensprinzip der Energie in allem Körpersein. Ist die einfache Form von LICHT. Als in eine Richtung einwirkend nur. Es geht aus dem Oben in das Unten. Es geht im Gleichen Augenblick aus dem Unten in das Oben. Es vollführt ein In sich ist Aus Sich ist Um sich ist Inmitten sich gleich Durch sich, gleich Unter ist gleich Ober sich. Es ist das in sich ALLES, ist es außen GLEICH. Positiv. Nur das ist die Form eines Lebenden Hier. Die Argumentation von Illusion, gleich Negation. Gleich In einer Zeit ist die Zeit ein Konstrukt, sind gnadenlose Fehl Einschätzungen. Es wird geschätzt, Gott ist GUT, doch es wird nicht gewusst, Gott ist gut. Es wird geschätzt, dass Liebe unendlich ist, doch es wird nicht gewusst, dass sie es ist. Es ist als glauben Menschen, doch sie glauben und wissen es nicht. Dies erzeugt Zweifel. Es erzeugt Unsicherheit. Und es erzeugt alles was die Energie umdreht als nicht mehr das was FÜR Leben ist. Es wird im Körpersein, durch Gedanken-Konstrukte die als Wort aus dem Unsichtbar in das Sichtbarsein innen wie außen sich dann mitteilen. Negativ ist - der Scheinglaube dessen was Leben ist. Austausch von Negativ gleich Positiv ist der Scheinglaube das Leben nicht - vorsehbar ist. Das Zustand sein INNEN was sich selbst nicht seinem URSPRUNG bewusst ist, dies ist bedingungslos - SCHON gegebene Unsterblichkeit durch Seele gleich Geist, wird aus dem Nicht wissen IN SICH beide Energiesequenzen produzieren, gleich tauschen. Innen UND! Außen. Für Leben atmet NUR LICHT. Somit ist das Körpersein in sich wie um sich im Immer vollkommen gleich.

Ob in Erfahrung, und oder Miteinander. Mit allen - Gattungen des lebenden Dasein auf dieser Erde. Das Ungetrennte mit - allem Lebenden - ist der Inhalt gleich Ausdruck des wahrhaftigen lebenden Wissens dieses jedweden Erdenlebens was je war und ist und wird. Das Unten wie das Oben. Es ist in allem das Inmitten was das JEDE Lebende ist.

Der Spiegel?

Ist dieser wundersame Segen, LICHT.

Glaube ist das EINGEBORENE Wissen.

Denn aus deinem Glauben heraus, erfährt sich die Wahrheit als bedingungslos die Wirklichkeit. Gleichsam ist Gleichsam unsterblich. Illusion. Gibt es nicht. Denn in einer Illusion lebt nur eines. Ja ist gleich Nein. Vision ist, das Erschaffen was der Spiegel der Wahrheit ist. EINE. E wig I st N ur E ines. LICHT. i love you.

24.06.2019

In der Wahrheit

liegt die Schwerelosigkeit der Liebe.

In der Interdimensionalen Daseinsform

atmet das Einfachste des Wesens, was als Lebendes

dieses Sichtbarsein als Körper ist.

Als sei das Leben ein Traum.

Als sei der Traum der Raum.

Als sei es.

So sei es.

Es ist.

Oh.

Es singt der Vogel nach ganz Unten.

Oh.

Es atmet der Wind
als ein Spiegelsein des Innersten Frieden.
Und es ist ... Oh, es ist.
Es ist so wahr.
So wahr und leicht.
Und in nichts es atmet Raum und Zeit.
Und in Nichts es gibt ein anderes.
Als eines nur.
OH ... höre es ... es ist es nUR.
Berührendes Erfahren des ewigen Trauens.
Erfahrendes Berühren des ewigen Wissens.
Unbeschwert.
Es ist die Ewigkeit als Samen Leben.
Es ist das Einfach,
dieses Unbeschwert ist Gottes Kind das Lebend Erde.
Frucht ist Samen Liebe, Wahrheit.
Frucht ist Wissen Leben, Wahrheit.
Frucht ist singend atmet zweifellos.
Es atmet Liebe.
Einfach Immer.
Es ist gesegnet - alles Leben.
Es war.
Schon immer nur ES GEBEN.
Was ist es nUR.
Was war es nUR?
Es war und ist
....
das Rückgekehrte Ewigleben.

22.06.2019

Die Liebe ist die Dreisamkeit der Einsamkeit
...
ist das Wissen ist der Glaube
ist
... berührend gleich durchfließend es als ...
Wirksamkeit die ewig Wahrheit alles ist.
... Freude ist des wahren Samens Ursprung.
Liebe ist des wahren Lebens Wahrheit.
... Licht ist Atem ein, gleich Atem aus.
.... Frei berührt der Traum die Erde.
... bist der Raum.
... bist das Hier.
... BIST ... oh bist du ... alles wir.

20.06.2019

L iebe **E** wig **B** edingungslos **E** ines **N** ur.
I mmer **S** elbst **T** ief
A kiss and a whisper in is out love.
Thanks for travelling with GOD.
Ich fühle DEINEN Atem so nah.
OMG. Es ist alles da.
11.06.2019

Der webende Weber. Was er tat. Was er gab. Was er als Mir zu Geben gab, damit mein Selbst das Ganze atmet. Webt der Weber das Gewebte. Webt der Weber das Gelebte. Webt der Weber das Wissende. Webt er. Webt und ist das Gnadenlos. DU KANNST es alles. Selbst es lebend sein und geben. Weben ist das gebende LEBEN. Wahr es war. Wahr. Und IST es.

Nichts ist Wahrheit ohne Webers - Liebe. Gedrungen die Wirklichkeit als Spiegel ist die Wahrheit immer. NUR EINES ist das LIEBESKLEID. Nur eines ist das FEDERKLEID. Nur eines ist das HOCHZEITSKLEID. Nur eines. Ist des SAMENS URSPRUNG. Der Glaube ist der Kern der ERDE. Glaubendes JA. Ist schwerelos die Antwort auf das gnadenlose Schweigen. Ich glaube es dir. Das du bist die Wahrheit eines Gesanges. Eines leichten Flusses Ewig sein. Eines ganzen Wissen was die Einheit ist. Eines gesegneten Leben was die Unsterblichkeit atmend ist. Federleicht. Doch bedingungslos das Wort ist die Kunde deines Mundes. Bedingungslos. Doch schwerelos ist dein Glaube der Spiegel deines Selbstbewussten Hier. Gnadenvoll das Ende ist der Anfang allem Hiersein. Es atmet schwerelos die Liebe als es ist der Spiegel deines Selbst HIER. Der Weber. Gnadenlos stumm. Warum? Er weiß was er tut. ER als WUNDER ist das SIE als WUNDER. Es ist das WIR. Nur das. In allem HIER. Atme was die Liebe ist, und es wird das gewebte Leben sein. Gesegnet das EINE ist das ANDERE. Webende Leben. Als zu einem GEMEINSAMEN Hier. Leicht? Oh. Wer es wagt, gewinnt. Die Antwort als immer nur JA. Solange du zweifelst, bist du nicht da. Solange du zauderst, bist du nicht da. Solange du zwar glaubst, doch nicht es aus dir heraus - weißt, - bleibt es als bedingungslos gnadenlos - das Unsichtbar. 100% ist das einzige was zählt. Denn 100 Prozent Unsterblichkeit hat - Gott - allem gegeben. UM SELBST der SPIEGEL - Dreifaltigkeit - zu sein. Und es geben. So ist es keine Antwort. Wenn du es nicht webend bist. Seele als Geist was das Innen des Außen ist.

Meines Webers Macht war und ist die Mandel Wandels Kraft. Denn es ist der Weber in allem Leben. Bedingungslos ich ihm hingegeben. Es ist wie es ist. Anfang ist Ende. Und Hochschwingend die Liebe ist. Eines nur. DUR. D anke UR.
08.06.2019

A great day of love.

Ein großartiger Tag der Liebe.
Diese Liebe.
Die das gesamte Spektrum des wissenden Glaubens ist.
Diese Liebe.
Die als In allem die Wahrheit als Schlüssel ist.
Diese Liebe.
Die die Ewigkeit des Lebenden ist.
Unendlich. Und unsterblich.
Und niemals aus dem Zustand zu bringen,
in dem alles was sie ist - IST.
Ewig geboren. Ewig lebend.
Ewig ist das Seelenbewusstsein des Geistes
der Allmacht dieses lebenden Seins.
OH Gott. Oh Liebe. Oh Licht.
Ich gebe dir die Wirksamkeit als lebende Wahrheit.
Es ist gesegnet tiefst.
Des Tages Nacht ist tiefstes Lieben.

Des Nachts wenn alles in sich wirksam schläft, da atmet aus dem Herz der Wahrheit, es atmet In Mir ist der Traum der Raum. Um mich ist der Raum der Traum. Und als ein Geschenkter Morgen. Erwache ich in jedem meiner Atemzüge, als schon gegeben war ich es. Als schon geboren bin ich es. Als schon gesegnet ist mein Leben. Denn alles. So alles. Trägt die Früchte meines Glaubens. Gibt den Spiegel meines Trauens. Ist die Liebe. Diese Liebe. Die als Lebend ist die Geistigkeit. Die als atmend ist die Seelentiefe. Ist als Dreiklang tiefst durchwirkend. Ist so wundersam geflügelt einfach. Ist so leicht. So leicht. Ich fühle ewig.

Bin dein Kind, Gott.
Bin dein Kind.
Bin dein Wir,
du hast gegeben Einklang weit.
Hast gegeben Wahrheit nur.
Hast gegeben. Gott. Ich danke dir.
Für die Liebe auf Erden.
Mein Klang ist Licht.
Mein Geben ist wirksam.
Es ist der Segen. Den ich gebend regne.
Es ist mein Glaube der geschaffen hat den Mut.
Es ist mein Glaube der wie ein Fels die Erde ist.
Es ist mein Glaube der weiß was die Liebe eint.
Einigkeit als Lebend Wunder.
So sei es.
Gott.
So ist es.
Ich berühre die Erde als den Himmel.
Denn ich kam um die Wahrheit zu sein.
02.06.2019

Absichtslos es geben. Ist absichtslos erhaltend sein. Ist absichtslos das Selbst zu leben. Ist absichtslos als Wir es zu sein. Das was ich in Facebook und oder Instagram tue, mit dem Veröffentlichen meiner geschriebenen Texte und Bilder, ist die Folge von Folgen, dass ich bin ein Wir was ist als lebendes Essentielles, das Gleiche Wir wie jeder andere Körper der in sich gleich aus sich Licht atmet, was dem Lebenden Dasein entspricht.
Ist es Kunst? Weil ich Kunst studiert habe? Und einen so zu benennenden weltlichen Abschluss gemacht habe als Freischaffende Künstlerin? Ist es ein künstlich erschafftes Gegebenes an gefülltem Wort sein als Bücher, und oder mannigfaltig erschaffte Bildwelten meiner Malerei?
Sind die 9 Bücher die ich nun mehr veröffentlicht habe, ein Sammelsurium an Wortschöpfungen die als Lyrisches Werk vielleicht in irgendeiner Zukunft angesehen werden? Oder ist das was ich gebe - in Wort gleich Bild - nichts anderes als nur eines? Spiegelsein dessen was hier auf dieser Erde in allem Lebenden atmet - gleich nicht atmet - gleich sich umtreibt?
Mein Gebendes ABSICHTSLOS.
Das ist dann als Absicht - vollkommen - erreicht.
Denn WAHRHEIT ist, die Absichtslosigkeit - erfüllt vollkommen ihren WEG ... es ... geht hinaus - wird sichtbar - wird als Zeugnis von Wahrnehmung aus dem Ungesagten, aus dem Ungesehenen ins Gesagte und in das Zu Sehende gebracht. Wie ein Transformator, bin ich. Wie ein Katalysator. Und wie etwas was bedingungslos in alles einfließt, doch im Gleichen wieder aus allem herausfließt. Das ist die Präsenz von GleichGültigKeit.

Heißt. Es ist gleich. Es fließt hinein. Und hinaus.
Dazwischen. Ist das HINDURCHGEHEN.
Ist das Einwirken, gleich Auswirken.
Ist das IN ALLEM ALS WIRKUNG SEIN.
...
Die Absicht meines Gebens.
Tue ich es nicht, lebe ich nicht.
Tue ich es, lebe ich und gebe.
Wer sich sorgt um mein Wohlsein?
Das ist Gott.
Er gibt mir Gegenleistung für das was ich gebe.
Erfüllt mich und stärkt mich.
Und gibt mir in einem Fort nur das TUN
als FOLGE es TUN.
Wahrheit - ist nicht zweideutig.
Wahrheit ist als Wahrheit
nicht unbedingt - bequem.
Wahrheit ist als Wirksamkeit
- unbedingt NOTWENDIG –
vor allem IM JETZT-ZUSTAND dieser Menschen Welt.
Mein AUFTRAG?
Es HINZUTRAGEN.
ES EINZUTRAGEN.
Es VORZUTRAGEN.
Es ZURÜCKZUTRAGEN.
Es - WAHR - und WIRKSAM zu GEBEN.
Was als WAHRHEIT
die bedingungslose WIRKLICHKEIT des Lebenden ist.

Ist es ein Wunder?
Das meine Gaben - einfach nur - genommen werden?

Ohne dass tatsächliche Wertschätzungen von Menschen erfolgen? Es sind einige wenige die es wagten und wagen, meine Bücher oder Bilder kaufen. Denn weder - sage ich ... ich bin ein Lehrer ... noch ein Coach... noch ein Heiler .... noch ein sonstiges an weltlicher Verbreitungs Maschinerie .... um Profit aus meinem GEBEN zu schlagen. Ich stelle sie - zur Verfügung. - Als zu Erwerbende Produkte, um den Menschen die Möglichkeit zu geben, in dem was aus meinem Wir gegeben ist, sich selbst zu reflektieren und sich selbst als ein gleiches Vermögendes wahrzunehmen. Mut gleich Sühne. Dominanz gleich Rechtfertigung. Hingabe der Weg des Trauenden ist.

Ist es ein Wunder?
Das so gut wie kaum einer .... etwas – gibt,
außer ... es wird einverleibt,
als das was ich ja gebe?
Nichts anderes als den Selbstspiegel.
Nein. Kein Wunder.
Wunder hat mit Profit Denken nichts zu tun.
Das Wunder was ich lebe, kann nicht bezahlt sein.
Doch die Wunden die in fast allen Menschen leben -
die könnten - als Bezahlung stehen.
Dafür, dass Wunden - sich WUNDERND
in WUNDER zu offenbaren vermögen.
Und dafür ist meine Wahrhaftigkeit hier.
Ich lebe - von dem was meine Scherenhand gibt.
Dafür ist die Menschen Welt bereit zu bezahlen.
Wenn ich SCHNEIDE AB. ....
Dann ist alles in Butter.
Denn dann kann die Butter finanziert sein.

In dieser Welt wo die Liebe .... es ist wie es ist ....
tatsächlich - alles - ist.
Wir sehen uns im WUNDER LAND.
Zu gegebener Zeit und Ort.
Bis dahin...
Sorgt Gott für mich.
Danke...
atmet die Liebe und ist still.
Es kommt sowieso alles so wie es der Wille vorgibt.
Denn freien Willens - alles geboren.
26.05.2019

Und ob ich schon wanderte, im finstersten Tal.
Die Wahrheit war mein Inhalt.
Die Wirksamkeit des Ewig atmet
Das rote Band der Liebe,
waren, sind die Gebenden Beweise
meiner Sichtbarkeit als Lebensgrund.
Es ist die Wahrheit Erdensein,
es lebt und ist Unsterblich sein,

was Inhalt allem Lebens ist. So gab die Liebe mich
hin. Als lebendes Hier. Um als Licht es zu erkennen,
was dem dunkelsten Glauben entspricht.
So bin ich hier. Als Wir des Eins.
Als Wir der Wahrheit allem Lebens INHALT.
Geschenktes Leben. Gegebenes Alles.
Vollkommenheit atmet als ES ist HIER.
Der Ort, ist gleich der Raum,
ist gleich die Einfachheit der Dreisamkeit,
was ist das Bindeglied als Himmel Erde.
Es ist gesegnet alles ist.
Und ob ich schon wandere, durch die finsteren Täler.
Gleich durch die Massen
der Nicht glaubenden Wahren Lebenden.
Und ob ich sehe und höre und spüre,
all die weinenden Herzen.
All die verlorenen Kinder.
All die in sich trauernden und zweifelnden Lebenden.
Ich wandere und gebe lebend Wahrheit.
Stillstes Stillen ist mein Gebendes Ja.
Ich stille deine Trauer mit meinem lebenden Ja.
Und ich schenke
deiner Mutlosigkeit das Trauende JA.
Denn in dir gleich um dich
ist verankert der Himmel ist diese Erde.
Als Wirklichkeit es atmet das JA.
In allem. Durch alles. Mit allem.
Aus allem. Für alles.
Dies ist das Gewahrsam sein.
Gottes LIEBE ist das LICHT.
Geboren als die SEELE ist des GEISTES MACHT.

So klar. So unverwechselbar.
So unabänderlich gegeben.
Es ist als ALLES LEBENDE
das Ewige Leben - gegeben.
A(r)men
Die Liebe ist Unsterblichkeit.
Und als Lebendes in dir
ist das Gedächtnis des Vermächtnisses.
Der Samen ist - VOLLKOMMENHEIT.
20.05.2019

Ohne die Liebe ist das Leben nichts.
Ohne die Wahrheit der Liebe,
atmet das Leben nicht wirklich.
Ohne die Wirklichkeit
gäbe es nicht den Atem der Wahrheit.
Alles ist nichts,
wenn die Liebe nicht ist.
Alles ist nicht wahr,
wenn die Liebe nicht lebt was sie ist.
Nur eines ist lebend als Atem das Wahre.
Es ist die Liebe.
Die als Spiegelsein Lebend das Wirkliche ist.
Der Atem ist des Ahnens Wahrheit.
Es ist des Atems Wahrheit,
die als Wirklichkeit der Ahnung Wahrheit gibt.
So atmet hingegeben Einfachheit.
Als In sich liegend Dreifaltigkeit.

Schwerelos gegeben.
Unsichtbar getragen.
Bedingungslos frei es selbst zu geben.
Was als Sternengrund das Leben spiegelt.
In der einen Wahrheit.
Als lebende Kunde.
Es ist die Liebe.
Die es ist.
15.05.2019

Ich schenke dir ein Lachen. Denn die Liebe atmet frei. Weißt du Mensch, ich gebe Wahrheit. Doch Wahrheit ist nicht kunterbunt. Wahrheit ist nur eines - WAHR. Und Spiegel Menschen - hier auf Erden - ganz und gar nicht wahr. Es ist kein Wunder. Alles was ich gebe und gab, wird nur angenommen wenn es - als Lachen sich zeigt. Wenn ich mitteile wie schön dieses Leben ist. DAS IST ES! Wenn ich mitteile wie frei dieses Leben ist. DAS IST ES! Wenn ich mitteile wie gesegnet alles ist. DAS IST ES!

Doch wehe - ich gebe Wahrheit als Spiegel - wenn Menschen im Dauerzustand - ZWEIFELN.

Es als ein KirchenMuster ansehen, wenn ich mich in Wort und Bild als Gottes - Kind - erkläre. Und bedingungslos jedem es zeige - DU KANNST, wenn du es willst. Vollkommen als das lebend sein, was alles LEBENDE nur ist. Gnadenvolles Lebendes Hier, was bedingungslos sich selbst als Dreiklang Geschehendes im Vollkommenen EINKLANG zu allem was die Wirklichkeit ist - erkannt hat und es lebend verkörpert. Jede Handlungen im Außen deines Körpersein, die du gibst in dieses Leben hinein, sind alle - aus dir heraus - gegeben. ENERGIE ist die Wahrheit von allem was ist. Und solange - ein Mensch - nicht es tut - sich selbst solange reflektieren in allem Gelebten seines Lebenden DA, wird dieser Mensch durch alle Prägungen seines Gelebten Ganzen, das wiederholen was einstmals seine Duale Energie - GABE als Antworten IN IHN impliziert. Heilung - des jeden einzelnen Lebens - ist das zu TUN habende - um ein tatsächliches MITEINANDER auf dieser Erde zu leben. Weder ist Liebe zu bedingen. Noch ist Liebe ein Brauchzustand. Und auch ist Liebe nicht manipulierbar. Der einzige WEG den es gibt, um wahrhaftig das zu leben was tatsächlich auch für alle als ein GLEICHES gilt, ist Selbstreflektion. Selbsthingabe. Selbst sich selbst - entschlüsseln. Und erkennen. Lebend auf Erden war und ist - immer schon und solange es diese Erde gibt wird dies so sein. Alles Lebende - gleiches - in Gleichem. Körperform - Inhalt - Seele ist gleich Geist. ALLES! was notwendig für einen Menschen ist um bedingungslos das zu leben was - tatsächlich! das Leben als WAHRHEIT ist, ist alles an Negativ - Erfahrung - IN SICH - aufzulösen.

Dies geht nur durch SELBST HINGABE,
ist gleich Erkennen - 3 Bestandteile,
alles Lebende ist.
In einem / als ein Körper - Drei zu einem Klange.
Seele / Geist / Körper.
Männlich/ Weiblich / Lebensenergie (LICHT!)
Jedes Sichtbarsein von LEBEN,
egal wo - ob hier auf Erden
oder in den Tiefen des unendlichen Weltraums,
alles - bedingungslos alles.
EIN FUNKTIONSPRINZIP als Existenz.
3 geschehendes 1.
Zelle.
1 Zelle. ist als 3 das LEBENDE.
Unsterblichkeit ist das was die Wahrheit ist.
Gefällt sehr wenigen hier auf dieser Erde.
Denn Menschen tun alles
- um sich selbst - nicht zu erkennen.
Würden sie es tun,
wäre diese Erde ein tatsächlicher Lebensraum
dessen, was diese ERDE ist.
Spiegel HIMMEL,
als bedingungslose hingebende LIEBE IST LICHT.
Glaube - ist das was alle ERSCHÜTTERT hat.
FEHLGLAUBE, als das was sie glauben, dass sie seien.
Denn die Prägungen im Kleinsten
waren als FEHLGLAUBENS - Muster impliziert.
Heilst du dich - heilst du diese Erde.
Betone Mensch.
Denn Natur und Tier
sind als ECHTES Spiegelgeschehen da.

Wahrheit.
EINE.
Für alle und alles.
Du kannst bedingungslos LIEBE atmen.
Denn du bist es.
Du kannst bedingungslos vollkommen alles wissen.
Denn es ist alles - offenbart - gegeben da.
Du bist im HIMMEL immer.
Das ist die WIRKLICHKEIT.
Denn deine Seele gleich Geist - SIND IMMER DA.
...
Meine Wahrheit - ist DEINE.
...
auch wenn du mir nicht glaubst.
Doch.
Wir sehen uns immer.
Denn dort wo ich bin.
Bist du auch.
Somit .... Meine Texte in nun mehr 9 Büchern ...
dienen DIR um FÜR DICH zu sein.
Dafür bin ich hier.
Denn das was ich bin ist WIR.
Und es beschreibt das MIT ist FÜR.
Herzensgruß aus Herzensklang.
Es singt ein Lied das jede Glück.
DUR.
.... die Hochschwingung der Liebe ....
sie endet NIE.
14.05.2019

Weißt du, es gibt nie ein Ende. Dessen was als nur ein Anfang gegeben war. Da kann ein Mensch machen was er/sie/es will. Es wird immer nur ein gleiches sein. Dass ein Körper lebt. Für eine Zeit. In nichts was je geboren war, war der Zustand gegeben, dass ein Körpersein ist es, das ewige Leben. Das Innen des Körpers. Ist der Gral was die Lebendigkeit ist. Im Innersten des Gegebenen Leben. Dort wohnt der Anfang der das NIE des Endes ist. Doch. Und doch. Wird nichts es leben, solange der Mensch es nicht SELBST bringt ZU LEBEN. Was der Samen ist, der war IN gegeben. Um als Selbst es AUS sich heraus - zu GEBEN. Seele und Geist. Stillstes Wissen in allem da. Ewiges Wissen in allem da. Doch nur selbst gebärt es - lebend - sein. Dies ist die Wirksamkeit der wahren Liebe. Wahr und wahrhaftig. In nichts zu bedingen. Als nichts anderes als liebend es singen. Was als Unsterbliches gegeben war. Zeitlos. Bedingungslos. Schwerelos gleich vollkommen eine Ganzheit. Das war, - IST - der Inhalt. Eines Zeitensein als Körpersein. Der Glaube ist die WIRKSAMKEIT der Wahrheit. Die EINHEIT atmet EINFACH DREIFACH. Als Ende ist des Anfangs gutes. Nur eines war und ist es - lebend. Es selbst als Spiegelsein zu leben. Was ist es - dieses eine SEIN. Es ist die Liebe. Gott gab Ewig sein.
12.05.2019

Körper Reduktion. Als sei das Ei nicht aus einem Huhn gegeben. Als sei der Körper nicht - aus Samen und Ei gegeben. Als gäbe es nur Körper - einfach. Als sei es nicht das In sich Zweifach. Als ist es - ledig - dieses Leben. Was ist als Miteinander doch gegeben. Was bildet die meine Summe des Erfahrens? Als Mit Lebende HIER im Mit sein Körpersein, des Menschen Kleides.
Ich bin eine Frau. Stelle mich zur Schau. Gebe als lebendes Wesen - in WORT gleich BILD bekannt, was ist die SUMME LEBENSBAND. Was geschieht? Sie sehen was sie selbst vermissen. Wer sind sie? Männer und Frauen. Zwitter leben meist als Menschen nicht. Zitternd oder Zwitternd? Ist es das Twitternd? Als das was ich bin, ist es ein ewiges Geduldiges ES geben. Solange du mich - als Körper - reduzierst. Solange erntest du - tiefstes NICHTS. Denn nichts ist Körper ohne GEIST. Und dieser GEIST ist das was meine SEELE als KÖRPER trägt. Somit - bin ich eine sozusagen - nicht Greifbare Person eines gegebenen Lebens. Denn - es ist meine Unendliche Wissens gebende Wahrheit - die das HIER des JETZT als SPIEGEL gibt. Betone bewusst - MEIN. Denn Beton - ist die lebende Spiegelqualität des gegebenen Menschen - sein. Betoniert - gleich zementiert. Als gäbe es tatsächlich nur das Haus aus Stein. Um das Ende nun zu erläutern. Meines ist das Himmelreich. Gegeben als Seele gleich Geist ist IN ist AUS Körper das Erdenreich. Und eines mannigfaltig gegeben. Meines - Deines - Gleiches - Hier. So bin ich als Spiegelsein die Wahrheit. Doch - Gott - gab ewig Gleichmut. Das bin ich einfach - nur das was ich bin. Und gebe jedem GLEICH das eine Wort. Es heißt. DU.

In dir - liegt selbst das Zweiseins LIEBE. In dir - ist selbst die Ewigkeit zu ERDEN. In dir - gleich um dich - atmet - FRIEDEN. Und ich? Nun. Ich - bin hier um dich dir selbst - zu geben. Gott. Wahrscheinlich ist meine Armut der Spiegel meines Reichtums. Denn nur ohne Haus - kann man sagen - der Körper ist das Haus. Und nur ohne Andere - kann man sagen - das Selbst - ist das ALLES. Lieber Gott. Danke für alles. Ich bin Demut und Hingabe als Ewiges. Solange ich lebe werde ich geben. Das was du in mich legtest, um es zu sein. Dein EWIGES Gedächtnis dessen was das Vermächtnis des JEDEN Lebenden war und ist. Armen gegeben. Es selbst gebärt - als GANZES zu leben.
12.05.2019

Ich fühle die Wahrheit der Liebe. Und es atmet das gesamte Reich des lebenden Himmel aus dem tief geweinten Erdenreich, was gab als Samenspender Leben. Gesamtes Vermögen ist das Ungesagte Versprechen. Gesagtes Ja. Geliebtes Ja. Geheiligtes Ja als Für die Liebe es geben. Aus der Summe der Eins waren die Selbstigen Einser gegeben. Um als ein gesamtes Himmelsein es leben. Lebendes Hier ist die Spur der weisen Stunde. Ist die Spur des spurenlosen Sandes. Ist die Geschenkte Treue dem liebenden Leben. Atme mein Herz. Atme. Und schenke die Tropfenden Wasser. Blutrot geweint. Blutrot gesamt die Nacht durchwacht. Blutende Leiber sind die gedachten Tode. Doch die Endungen in der Ewigen Ruhe immer gehalten. Doch die singenden Morgenlieder werden die Runde Zahl begleiten. Und die wunderschönen Himmelsgeschöpfe fliegen. Wie Federn so leicht herbei. Und sie sind. Ja sie sind. Mein Himmelreich als Spiegelbild es ist die Wahrheit. Urtausende Tode. Urgeschenktes Lebendes Hier. So einfach nur ist leben. So einfach nur ist tiefstes Leid. Doch ich zieh es an das Kleid. Am Ende dieses Augenblicks. Da funkeln Tausend Sterne. Für das ich gab die Liebe. Ich schenke mich dir. Denn du bist ich. Meine Liebe atmet frei. Ist geboren aus dem Tod. Ist gelebt als ewig Licht. Ist es. Denn die Wahrheit hat ein 2 tes ...gleiches... Gesicht.
11.05.2019

27 Jahre ... Lebende Zeit dazwischen. Tiefste Tiefen lebend erfahren. Zurück erinnert den Tod. Zurück gelebt den Tod im Leben. Zurückgegeben - Wahrheit ist des Goldes Mundes Lebendsein. So atmete damals lebend Wahres, gleich atmet heute Wahres LEBEND. Ist es zu schwer? Ist es zu hart? Ist es zu unbegreiflich? Ist es nicht zu erkennen? Ist es alles in allem, nicht der jede Atemzug gewesen, der es lebend in die Sichtbarkeit zu bringen vermochte? Ja. Es ist. Bedingungslos es ist. Und ob ich schon wanderte im finsteren Tal. Dein Lebendes Hier hat mich gebunden getragen. Dein Ewiges Hier hat mich im vollkommenen Trauen gehalten. Dein gegebenes Leben war als meines das Gestrige Hier. Schwerelos war der Anfang. Schwer war der Weg. Schwer und nur mit dir zu leben. War die Wirklichkeit als Wahrheit zu offenbaren. Bedingungslos die Liebe atmet. Als Jetzt ist schon immer das Gegebene gewesen. Mein Leben gesegnet. Als tiefste Wahrheit atmet das Gewissen. In nichts. In gar nichts. War es je - anderes als meines es SELBST zu wissen, was dieser GLAUBE ist. Dieser Glaube was ist es - als Leben hier auf Erden sein. Das wir es leben.

Gemeinsam als du bist mein WIR.
Du bist meine Treue.
Du bist meine Kraft.
Du bist meine Wahrheit.
Und du bist der Mann meines Lebens.
Du. Ja. Du.
Ich danke dir Stein. Du bist mein.
Und ja. ich gebe mich hin.
In dein Versprechen.
Du stehst vor mir.
... Liebe ist GLAUBE.
Leicht atmet Wahrhaftigkeit.
Und niemals ist es anderes als WISSEN.
Wer die Wahrheit ist.
Was die Wahrheit ist.
DAS die Wahrheit SPRICHT.
Danke, ich liebe dich.
Das rote Band der Liebe
....
spielt das Lied des DUR.
Diana .... kommt aus UR.
Für die Liebe auf Erden
ist das Spiegelsein,
was ist das Deine - GLEICHE - Sein.
11.05.2019

Tropfen auf dem heißen Stein. Wasser ist Lebenskraft. Wasser ist das Lebensgemachte Dasein von Körpersein, jeder Art. Das Inbild ist das Sinnbild, ist das Ausbild des wahren Gewissens. Geschenkt. Lebend sind geschenkte Leben. Doch atmen sie als Tropfende Lebende auf dem heißen Stein Erde. Unsäglich das Weltvorhandensein als Wahrheit atmet Wirklichkeit. Unsägliche Trennungserlebende Menschen atmen als Miteinander das Gebrauchende Da. Das Wasser ist gegeben. Doch die Erde als solches lebt in der Sintflut des nicht es geben. Nicht geben dass, was gegeben als GANZES ist. Nicht gebend den Mut gleich die Hingabe, gleich das IN SICH liegende GEWISSEN was als Dreiklang zu einem Klange nur lebt. Einfach ist Dreifach. Nie anders. Und nie war es ein Leben für Manifestiertes „Nur was ich sehe - ist auch HIER“. Und nie war es anderes als nur das ein gegebenes ALLES für das ALLES zu ALLEM geschenkt war. Es war und es ist. Nie anderes als ein Gesicht. Tier, gleich Natur, gleich Mensch. Alles ein Gesamtes Wassersein um als Sichtbarkeit das lebende Unsichtbar zu spiegeln. Tropfen als Liebe. Liebende Tropfen als FLUSS des JA ist alles Lebende das Gleiche DA. Wenn denn der Glaube weiß was er ist. Wenn denn die Wahrheit als EINKLANG atmet. Wenn denn die Hingabe erfolgt aus vollkommen freiem lebendem da. Körper stirbt und geht. Doch Körper wurde - gegeben - um ES ZU LEBEN. Was die Wahrheit des Tropfens in sich birgt. EWIGES LEBEN. Bedingungslos. Still. Tropfen auf dem heißen Stein. Menschen atmen Zweifel. Führen die Kriege in ihren Gemütern. Leben als glaubende Einsamkeiten.

Und geben in der Einsamkeit dem Nächsten das Gebrauchende Muster als Ich gebe - DAMIT du mir gibst. DAMIT? ... **D** as **A** lles **M** uster **I** st **T** iefstes.
Gebe ohne WOLLEN. Tu es geben OHNE es zurückzufordern. Tust du es? In irgendeiner Form? In irgendeinem Gedanken? In irgendeiner Handlung? Wo nur Liebe atmet - wird niemals - ein ERWARTEN sich leben. Denn Liebe HAT es als DREI ist Eins sein ganz und habend - ist gleich immer nur eines ... gebend ... es lebend... ERHEBEN. Was als Ewiges - das IN ALLEM Lebenden ist.
10.05.2019

Es ist gleich wo du bist. Solange du nicht selbst es atmest als bedingungslos Unsterbliches ist Seele, Geist, Dreiklang, Wunder Einklang leben leicht, Liebe, Frieden, Licht, Heilung , ist der Spiegel deiner Wahrnehmung von dem was du glaubst das es ist, die Antwort auf die Frage. ALLES IST in einem ganzen geeint HIER auf Erden gegeben. Doch Liebe ist frei. Liebe ist nicht zu vergeben. Liebe ist nie zu beweisen und oder zu verändern.

Der Glaubensinhalt von SEELE UND GEIST ist Unsterblichkeit in Sterblichem, ist wissen was alles ist. Nichts ist das Flügelgeschehende dieser unendlichen Schönheit des Seins ist schwerelos zu spiegeln was Unsterblichkeit IST, wenn du es nicht glaubst, das es ist. Es ist alles erlaubt. Das ist die Antwort auf die Frage. Unfassbar und geben. Gott atmet aus allen. Diese Liebe. Was der Wahrheit entgegensteht ist der Glaube. Mensch GLAUBT nicht was Unsterblichkeit IST.
07.05.2019

Ich weiß es ist. Ich weiß es ist die Wahrheit hier. Ich weiß es atmet reinstes Licht. Und weiß es ist in allem nur das eine Sein. Es ist das liebende des einen Lichts. Es ist der reinste Segen lebend da. Es atmet aus Gott gegeben das ganze DA. Wie eine Feder, Und wie eine Blume. Und zeitgleich wie ein Stein erwächst aus einem Staubkorn getragen durch den Wind in die Tiefste Zeit eines ganzen Lebens. So zeitgleich war der Atem Lichts das Wahre da. Als geboren war der Himmel als Erde. Ich weiß es ist. Denn wir sind da. Und ich weiß dass das Ende der Anfang ist. Ich weiß es. Und nie mehr kann anders mein Leben sein. Als nur noch eines. Ich bin du. Geborenes als Samen Gottes. Als WIRsam das GanzSAM dieses gesamten DAsam. FreiSAM und LOBsam gleich gemeinsam das Hier ist Jetzt es als Samen zu geben. GEBEN ist LEBEN. Leben ist Lieben. Lieben ist Wissen. Wissen was der GLAUBE ist. Ich weiß es. Und es ist sehr nah. Das Ende ist hier. Als Anfang geboren das KLEID.
03.05.2019

Das tiefste GeWissen. Atemlos und schwebend als ein Federkleid. Atem-LOS - Das Los ist der ATEM. Ist das wissende Kommen eines neuen Lebens. Ist das wissende Hier war schon die Zeit als vorher. Hier hat geatmet die Wahrheit als Stunde. Als Tag. Und als Gleichsein zur Nacht es war ein lebendes HIER. Gestorbener Glaube. Denn die tiefsten Stunden gaben der trauernden Gemeinde das LOS. Der Hieb war das Sieb. Die Runden Wahrheiten waren der gedachte Glaube. Doch es war die schwere Gewohnheit dass der Tod kam zur Stunde DREI. Das ist der gefallen Glaube. Himmel war dunkel. Die Nacht schien als die Mitte des Tages. Und die Umkehr war gemacht. So leicht sind die Herzen als schwer wiegt die Not. So schwer wiegt der Tod. So unsäglich glaubt nicht die Wahrheit wer als Lebendes den Tod beweint. UND! In Trauer versunken, es einfach nicht mehr glaubt. Dass die LIEBE nicht weg ist. Dass der WEG nie zu gehen ist. Und das die Wahrheit nicht atmet als ein donnernder Schlag. Der aus dem Himmel die Erde bekundet. Es war sehr rund. Diese Kund. Doch. Zweifel frisst jeden Glauben.

So sei es das Gewesene war.
So war das Gewesene als WESEN da.
So war das Tränenreich der Erde als Spiegelgleich es fiel zu 1000 fach der Jahre gleiche Stunde.
Es fiel - das Kind.
Der Glaube atmet.
Doch frei geboren. SELBST es sein.
Was es ist.
Das Federkleid als ein Gedicht.
Nur das.

Spricht Gott.
Nur das.
Ist was du bist.
In ist Aus.
Und er wie sie ist gleichsam hier.
So ehre es wirksam.
Denn es fallen Sterne nicht von Ungefähr.
An den Ort.
Die Zeit.
Das Kleid.
Süßer die Glocken nicht klingen.
Es ist HOCHZEIT.
03.05.2019

Siehe ES ist alles DA. Siehe ES war alles da. Siehe es ist schon das Gegeben gewesen. Bittere Tränen fließen und tränken die blutenden Wunden. Bittere Leben sind die Antworten auf Unsäglichkeiten, die aus Nichtwissendheit, gegeben. Bittere Mandeln. Zuviel geboren um als zu viele sind es. Mandels Brot aus Sternensand gegeben. Mandels Blüte nie die Bitterkeit verspricht. Mandel Baum als Nichts des Lebens.

Mandelsein. Das jede Sein.
Nur der Kern weiß es.
Nur dieser 13 fache Kern in allem Leben.
13 Einzelkerne zu einem Ganzen.
Und doch ist dieses Brot geboren als Tugend der Not.
Zuviel gegeben. Zuviel gestorben.
Zuviel gelebt als Spiegelsein, das EchoLot.
Ich gebe dir in alles die Wirklichkeit als Wahrheit.
Dass die Gondeln Trauer tragen.
Dass die Lebenden in nichts dem Trauendsein
zu Glauben wagen.
Dass der Zweifel tiefste Früchte bringt in Leben.
So bitter. Tief als Erdensein, sie leben.
Bitterkeit der Mandel ist
den Tod im Leben zu begrüßen.
Ist als Einfachstes die Wahrheit sein.
Ist als Bedingungslos die Ehre geben.
Ist als In Nichts sich festzuhalten,
als Spiegel Liebe Wahrheit sein.
Echolot. Das Echo spricht.
Für dich mein Kind, die Erde ist.
Für dich, du Kind aus Gottes Liebe.
Für dich. Das Kerngeschenk der treuen Liebe.
Geboren tief und Dreifach ewig.
Gegeben aus dem Ur die Liebe.
Geschenkt um SELBST die Wirksamkeit in alles geben.
Zu GEBEN. ES.
Das VER ist Wissen was der Glaube ist.
Ist Wissen was die Wahrheit ist.
Ist Wissen, dass der Segen Gottes alles ist.
...

Du bist.
13 Kerne sind das DU.
In jedem Wesen Erden atmet schwerelos,
die Einfachheit der EWIGKEIT.
Die Wahrheit - lebend - ist es selbst zu sein.
Und Antwort ist - die meine hier.
Du kannst.
Denn bist.
Das gleiche WIR.
Gegeben als Unsterblichkeit.
Es zu geben. Jedem.
Vergeben.
Denn nichts - kann - deine Wahrheit - nehmen.
Was als Wahrheit des EINS ist gegeben.
FRIEDE sei MIT dir.
Denn Friede ist in dir.
Friede ist der Anfang. Die Mitte. Das Ende.
Für die Liebe auf Erden.
Dafür - BIST DU HIER.
26.06.2019

Das 1 x 1 der Wahrheit. Siehe du bist als Dreiklang zu einem Klang in allem vollkommen.

Du bist als **KUND A L I N I** lebend da.

Kunde geben **A** lles **L** icht **I** n **N** ur **I** st.

Kundalini, benannt wurde die Kunde die liegt in der Einfachheit der VOLLKOMMENHEIT des Lebenden Wesen als Körpersein, es ist alles HIER. Fundament Lebendes. Energie ist Licht ist Lebensgebendes HIER ist JETZT Lebendes ALS IN ZU AUS ATMUNG GESCHIEHT von SELBST. Schwingung macht Ton. Ton ist die Resonanz als Schwingung eines Sendens und als Gleichzeitiges Empfangendes. Austausch ist Eintausch. In der Wirklichkeit ist das In ist Aus als Spiegelgeschehen das Selbstverständliche Geschehen. Dessen was das Lebende in zu aus - als ESSENZ LEBENDIG MACHT. Unabhängig von Glaube ist Gedanke - Wort - Tat. Unabhängig von allem ZU TUN GLAUBEN KÖNNEN - ist - Element - UNSTERBLICHES - das AUSFÜHRENDE - als IN KÖRPERSEIN es ALS Körpersein ERLEBEN. Wie lange? Ein Leben. Anfang - Mitte - Ende. Bedingungslos. Frei. Unanhängig. Unabhängig. Einfachste Prinzipien. Zweifellos gegeben ohne „wenn“ und „aber“. EIN LEBEN REICHT. Reich und Tief. LEBEND. Klar und ohne Schwere. In Nichts ein anderes als nur das. DU BIST ES GANZ. 13 Mandelkerne in der Amygdala. 13 Schritte nach Oben, die dich als das Unterste öffnen. 13 mal den Tod leben? 12 und 1 das reicht für IMMER. Das Vollkommene ist in Nichts zu ändern. Die Ewigkeit von SCHON Vollkommenheit ist in nichts zu ändern. Das LICHT was als ALLES ist es - ist in nichts zu ändern. Die LIEBE die alles in sich birgt, ist in nichts zu ändern.

Deine SELBST Verantwortung - es ganz ALLEIN - zu tun, ist in nichts zu ändern. Glaube erschafft Sein. WISSEN was GLAUBE ist - ist das IN SICH SELBST SCHON EINGE-BORENE als LEBENSGEBENDES HIER sein.

Rück ER inner U n G.

Er innerung R ück WAS INNEN Unten nur Gibt.

Kundalini ...
Wunderbar.
Der PROZESS mit 12 + 1 ....
Gerichtete Wahrheit als Ende ist Anfang.
Amygdala gleich Kundalini.
Und dieses wundersame Wissen,
bedingungslos das JA.

LICHT ist LIEBE.
Ein Leben ist die Wahrheit als Wirklichkeit.
Es ist als IN ALLEM da.

Federleicht die liebende Freude.
Wunderbar die Wirksamkeit
als In allem spiegelgleich die Antwort.
So einfach.
Und so vollkommen.

Weg ist Ziel?
Ziel ist Weg?
Von Wegen? Wer glaubt der ist?
Es ist wie es ist.

Seele ist Geist - Gleiches ZU Gleich.
EINS ist DREI.
Dein Körper weiß das genau.

Herzensgruß.
Und gebe dich deinem SEIN hin.
Wir sehen uns hier. Denn wie es auch immer ist,
ich bin als WIR dein Spiegel.
Klar und vollkommen DURCHLÄSSIG.
Wie ein Wasserspiegel.
Dass bin ich für dich.
Denn ich dringe ein und aus.
Gleichsam atme ich dich ein und aus,
wie ein schwebendes in dir sein.
Manchmal weile ich und atme mit.
Manchmal gehe ich wie ein Blitz in dein Innerstes.
Und manchmal da durchströme ich dich wie ein nicht
endendes, wellenförmiges Geschehen.
Eines immer.
Meine Wirksamkeit .... ist in dir.
Das ist unabänderlich.
Warum?
Es ist alles EINS.
15.06.2019

Du bist die Wahrheit meines Lebens. Du bist die Wirksamkeit der meinen Liebe. Bist es. Warst es. Und es atmet jetzt die Ehre ist des liebenden Angesichtes ganz und gar. Ja. So ja. Oh wie sehr es ist das Ja. Und ja. Wie sehr du hast es mir gezeigt, ohne mir ein Wort als Bestätigung zu geben. Dieses tiefe Schweigen. Tag und Nacht ich höre jedes Wort. So sehr. So sehr. Es ist nichts mehr da, als das Wissen das du es bist und warst. Der schweigende SPRECHENDE. Und der Gebende einer bedingungslosen Wirklichkeit. Ich höre einfach jedes Wort. Nichts vermagst selbst du zu tun, dass ich nicht weiß, du bist der Liebende in mir. Es sind die Sterne singend lebend. Und als Gleichnis Stein, er schenkt der Rose, Wahrheit ist das Liebendsein, es ist das JETZT und HIER. Gedanken sprechen die Wahrheit als IMMER es ist im INNEN die WIRKLICHKEIT zu einem Außensein der gleiche Spiegel. Nur eine Feder. Dass deine Wort. Nur eines. Dass dein Wort. Nur WIR sind das DU ist gleich ICH. Rundes Wasser als Fließendes Geschehendes KLAR Ja. Liebe. Ich weiß es mehr als nur innen ist es da. Denn es ist dein Gegebenes Alles, was immer nur ist. Von Anfang an nur DU es warst. Der es ist. Nicht mal mehr du. Nicht mal mehr dein gnadenloses mich Sein lassen, dass ich als Glaubenswut erbrechen könnte, bewirkt noch irgendetwas. Kein Nichts mehr bringt mich weg von dir. Nicht mal du. Denn ich weiß was ich glaube. Und ich weiß wer du bist. Warum? Weil du der Mann meines Wunsches bist. (BIST - Berg Ist) Und ein Wunsch, immer nur eines. Tiefstes ... bedingungsloses JA. Ich sitze in dir wie ein Stein. Doch ist es die reinste liebende Blüte.

Die als in deinem Herzen wohnt. Ich weiß es. Und nun bedingungslos es atmet nur noch eines. Du kannst machen was du willst. Ich weiß dass du nichts anderes willst als ich. Ist das schön? OH! Dass ist so wunderschön und noch was. Dein Weg ist nicht weit. Ein Fingerschnips. Und Zack. Wird geliebt ohne ein Wort. Das Geheimnis der Liebe? Wir sprechen ohne Wort. Immer. Liebe dich, ... wie ...??? DU BIST ALLES. Danke.
Das rote Band der Liebe .... OMG, wie sehr liebe ich diesen Mann - der schweigt wie ein STEIN.
11.06.2019

... Empath ...

E in **M** ensch **P** lural **A** lles **T** ief **H** ier.

JEDER kann es lebend verkörpern. Lebensenergie IST NUR positiv. Ist gleich Dein Wille geschieht im Augenblick DEINES GLAUBENS was alles ist, entweder aus der Angst oder aus der Liebe heraus atmend IST. Wenn Mensch sich selbst gebärt als sichtbare Körperform von SEELE UND GEIST, ist Unsterblichkeit in Sterblichem, dann geht alles was Nichtliebe ist, ist gleich ... negative Energie ... DURCH das Selbst hindurch und wird nicht angenommen und somit auch nicht in Resonanz gelebt. Trauen in die Wahrheit ALS Antwort ES atmet das Heile sein als gegebenes HIER... in ALLES... innen ist gleich außen.
05.06.2019

Die Wahrheit?

Gnadenlos ist gleich gnadenvoll gefüllt schon immer war das gleiche SEIN als HIMMEL ist ERDE, es sein.
Niemand - Kein Mensch der je lebte - und lebt - und wird, war es nicht schon! Vollkommenes als SPIEGEL-SEIN des Unsterblich sein. SEELE ist GLEICH GEIST. IST! Und nicht wird erst Wahrhaftigkeit - als Ewiges Leben.

Der IRRTUM des Glaubens der Menschheit.
Das MAN es WERDEND SEI..........................
Bedingungslos – nur EINES WAR UND IST!
Schon GANZ ES IST.
Schon ganz geboren WAR es.
Schon HIER um ES JETZT SEIN.

DAS KIND!

Ist in sich Vater gleich Mutter.
Ist in sich LICHT gleich LIEBE.
Ist als IN IST AUS DAS IN ZU AUS.

Das Schweigen ist die Wirksamkeit
- FÜR die Wahrheit –
DU BIST ES SELBST.
Denn WAHRHEIT ist als eines NUR WIRKLICHKEIT.

Gott - UND ER IST ALS LEBENSGEBER ALLES!
Ist der Vater
- ist der Geber –
ist das Lebende des Mutters sein,
es ist die LIEBE.

Das Himmelreich - vollkommen - HIER.
Der HEILIGE GEIST
- ganz und gar –
FÜR alle als GLEICHES GEGEBEN DA.
Die Wirklichkeit ist
- niemandes Wahrheit –
ist es nicht.

DAS WAS MEINES ATMET IST DEINES
ALS GLEICHES LICHT.

Worte aus MIR!
Ich bin
DAS KIND des GEBOREN WAR DER GLAUBE
lebend.

Du kannst. - Denn du bist.
Du wirst - denn du bist.
Du warst - denn du bist.

Als Frau - bin ich im GESEGNETEN HIER.
Als Frau die Wahrheit des SEGENSREICH HIER.
Als Frau des Mann, wer er ist.
Als Frau ist Mann, der er ist.
Als Liebende die Sprache des Geistes.
Als Hingegebenes GANZES KIND.

Für Gott?
Selbstverständlich.
Denn er gab mich als WAHRHAFTIGKEIT lebend.
Für die Menschen?
Selbstverständlich.

Denn so gut wie niemand - lebt das, was er/sie/es ist.

the groovy kind of love
Bin es.
Voll und ganz.
und ...das - als KIND ... Gottes.

danke
für immer.
30.05.2019

The groovy kindness of love

Die tiefe Freundlichkeit der Liebe.
Als wahres Da. Als echtes Hier.
Als Spiegelsein Himmel ist das Erdensein,
die Feder.
Zweifelsfrei geboren Stunden.
Zweifellos gegeben eine Zeit.
Zentrum Wirksamkeit der wahren Stunde,
es ist das Schwerelos der Ewigzeit.
Es ist das In sich liegend Wissen,
es ist bedingungslos gegeben frei.
Frei die Zeit es ganz zu atmen.
Was als lebendes die Wahrheit ist.
Was als Unsterbliches das Sichtbare ist.
Was als durch und durch
die Ehrlichkeit als Liebe ist.
Freundlichkeit ist Samensgeber.
Freund ist alles Neben selbst.
Freunde sind des Innen Außen.
Frieden atmet als die Uhr.
Berührend erwacht die Liebe als Zeit.
Und sie schenkt das Zeitlose Wissen,
als In allem liegt die Lebenszeit.
Nur das. Nur eines. Nur Wahrheit.
Nur Leichtigkeit des wissenden Trauens.
Ist das ewige Gedächtnis
der lebenden Vollkommenheit.
Es ist ein Segen.
Es leben. Es einfach sein.
Es zu atmen und zu geben.
Die tiefe Freundlichkeit der Liebe.

Hingegeben als Körpersein ist Zeitlos Ewigkeit.
Seele atmet tiefstes Licht.
Geist als In ist gleich Ausdruck gebend Wissen.
Sanft ist Wirklichkeit des tiefsten Lichts.
Spiegelgleich der Himmel spricht.
Spiegelgleich das Federkleid.
Tiefst im Unten atmet wirksam.
Das Ewige ist Liebend Licht.
Ist Gottes Lebend Kind.
Ist alles. In ist aus. Ist alles eines.
Ist Samen selbst als Zeitensein.
29.05.2019

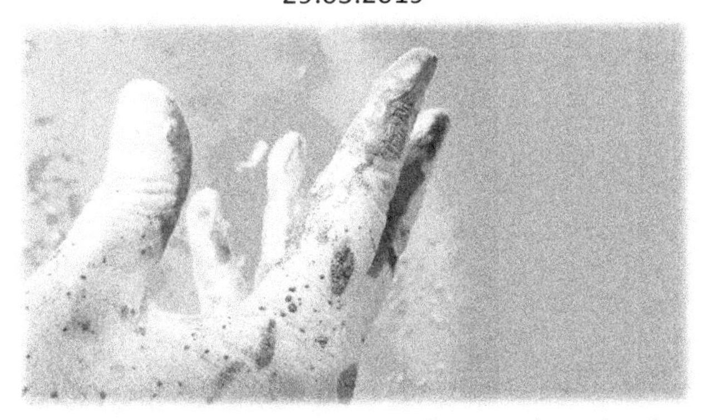

Es gibt nichts schwerwiegenderes, als mit dem Schweigen zu leben. Mit dem Schweigen das SPRICHT. Mit dem schweigenden Liebenden der als Inhalt das Gesamte des Lebenden ist. DER es ist. WER es ist. IST ES. Was er ist und war. Was er war um es zu sein. Als SEGEN der geboren war durch die WIRKSAMKEIT - Ich bin die Liebe. Ich bin die Liebe. DEINE ist MEINE. Du bist als Ich das Hier es sein. Der Schweigende Morgen. Der schweigende Tag. Die Schweigende Nacht.

Ganz allein vollbracht. Dass die Liebe es atmet. Als bedingungslos Spiegel des ER ist SIE, als Er ist Ich. Als Er und ich mein Wir, ich bin. Schweige Liebe. Schweige und atme Trauen. Ich tue es. Gebe dir das Ja als BIN ICH HIER. Bin DU, geboren aus dir. Geboren um es dir zu geben. Als dein Spiegel das JA. Mein Lebendes Hier ist als Gleichklang des Himmels. Mein gebendes Gestern war der gekommene Morgen. Meines ist Deines. Denn gleiches atmet als bedingungslos unsterbliches hier.
Ich schweige doch du hörst. Ich schweige doch du weißt. Ich schweige doch du glaubst. Ich weiß es ist nur ein Ausgang. Und ich weiß es ist nur eines was es ist. Bedingungslos atme ich LIEBE. Dein Leben meines ist. Die Wiederkehr.
Meine Liebe der Stein. Und er lebt. Denn wir beide sind hier um die Wahrheit zu sein. Das Ende - getrost. Geweint nur Wasser. Es lacht die Wirklichkeit es ist der Wein. So rein. Das Fest wird fein.
28.05.2019

Tun erschafft SEIN.
ES tun ist die Erschaffung als etwas was nur im Innen des Selbst vorhanden ist, durch die Transformation des ES AUS DEM INNEN IN DAS AUSSEN ERSCHAFFEN. ES in die Spiegel Sichtbarkeit bringen. Aus einem Nichts als Da, mittels TUN in ein ALLES als DA, erschaffen. Das eine Bild. Vorher, in mir nur dieses Bild. Danach, aus mir gegeben als Sichtbares Selbstsein, dieses Bild als Dasein. Ein Bild. Auf Holzrahmen, gemalt mit Ölfarben auf Leinenstoff. Was ist - Transformation?

Etwas was im INNEN lebend ist - kommt als Sichtbarkeit ins Außen. In der Raupe - ist der Schmetterling. Durch die Transformation kommt der Schmetterling DURCH die Raupe - in die Sichtbarkeit - ES IST JETZT EIN SCHMETTERLING. Was ist INNEN das erste Geschehen bevor - etwas - sich transformiert in das Außen? ES ist der Prozess der WAHRNEHMUNG. INNEN. Was ist das Innen? Was ist im Innen? Wer ist innen? Warum ist im Innen was es ist? WAS ist das Zustandsgeschehende dessen was im Innen ist - und was ist die natürliche Folge von dem was als Bewegung im Innen sich als Verkörperung in das Außensein transformiert?

TUN.

T ief **U** nten **N** ur.

Im stillsten Gedächtnis - des jeden Lebenden liegt das Vermächtnis dessen, was die Transformation des IN SICH ALS LEBENDES BIRGT. SEELE IST GLEICH GEIST.

Unsichtbar - beides.
UND DOCH! - vollkommen SICHTBAR,
denn KÖRPERSEIN ist Träger des IN sich ZU LEBEN MACHENDEM – Unsterblich sein.

Es ist nichts von ungefähr.
Und es ist nichts NICHT als IM SELBST vorhanden,
UM ES IN DIE SICHTBARKEIT zu bringen.
Die Wahrheit ist nur eine EINZIGE.
Und diese ist - eine sehr einfache.
Und doch - das Vielfachste.

Frieden als SPIEGEL Himmel
- ist - die SELBST Transformation
durch das eigene Körpersein –
es aus dem INNEN in das Außen als RESONANZ
lebend GEBEN.
Es gibt KEINEN GRUND diese Welt zu verändern. -
Denn diese Welt ist als DAS WAS LEBENSRAUM IST -
VOLLKOMMEN GEGEBEN.
Es gibt keinen Grund
- der etwas nicht –
in die Transformation
- zu bringen vermag,
dass das lebt –
was INHALT des WAHRHAFTIGEN LEBENDSEIN ist.
DER TIEFE GRUND der LIEBE.
DAS TIEFSTE DASEIN LEBEND.
Als EWIG LEBENDES IM SICHTBARSEIN KÖRPERSEIN.

Was ist nun der Grund?
Für das was auf dieser Erde seit URZEITEN lebt?
Menschen - leben - NICHT - was sie sind.
Da gibt es keine Ausflüchte. Keine Ausreden.
Und auch keine Entschuldigungen.
Für alles - was IN JEDEM LEBEN stattfindet,
- ist - bedingungslos - jeder SELBST
der /die/das – ERSCHAFFENDE
des SEINEN LEBENDSEIN.
Hoffnungslos?
Nein. - Wenn du IN DIR - die WAHRHEIT offenbarst -
atmet als reinstes Wissen
- die HOFFNUNG als WAHRHAFTIGKEIT.

Glaubenslos?
Nein. - Wenn du IN DIR - die WAHRHEIT offenbarst -
atmet als reinstes Wissen - der GLAUBE
als WAHRHAFTIGKEIT.
Lichtlos?
Nein. - Wenn du IN DIR - die WAHRHEIT offenbarst -
atmet als reinstes Wissen - das LICHT
als WAHRHAFTIGKEIT.
Lieblos?
Nein. - Wenn du IN DIR - die WAHRHEIT offenbarst -
atmet als reinstes Wissen - die LIEBE
als WAHRHAFTIGKEIT.

Kehre ein IN DEIN INNEN.
Nur dort - bedingungslos - nur dort.
In der Selbsteinkehr des deinen Gelebten,
- NUR DORT!
- liegt die Transformation deiner
UND dies IST
die ALLGEGENWART der einen WAHRHEIT
- als GESAMTES.

Selbstreflektion - ist Selbstkonsequenz,
um als aus sich selbst - die WIRKLICHKEIT
- des TATSÄCHLICHEN Lebendsein
- als SPIEGELSEIN - ERDE IST HIMMEL - zu erfahren.
Seele IST gleich Geist - sind deine Lebensgeber.
Doch Körper, als DU BIST die RAUPE,
- ist der Schlüssel.

DU bist der Schlüssel für Frieden.
Du bist der Schlüssel für Liebe.
Du bist der Schlüssel
- für die WIRKSAMKEIT der WAHRHEIT.

Meines ist getan.
Ich gab es als IN MIR ES ERKENNEN,
GLEICH ES GEBEN.
Das WIR was ich bin - ist der Schmetterling der atmet.
Und hier ... jetzt ... ein Wort.
TUN.
Deines.
Und du erkennst dich als meinesgleichen.
Unsterblichkeit atmet als JETZT ist HIER ES SEIN.
24.05.2019

WARUM ist Seele ist Geist als unsterbliches in Körper lebend? Warum? Bist DU gleich ICH als WIR sind ES hier? Das Ende war der Anfang. Im Ende ist der Anfang gewesen. IM ANFANG IST DAS ENDE HIER.

WAR ... UM - ES - sein.
Was?

DAS.

D imension **A** lles **S** elbst.

Die WAHRHEIT macht frei.
Die Wahrheit IST frei.
Die Wahrheit ist der Spiegel der Wirklichkeit.

Doch.
D imension **O** mega **CH** ristus.

Wunder, dass du selbst es nur zu tun haben kannst? Wunder, dass nur du selbst den Schlüssel zu drehen vermagst? Wunder, dass nur aus dir heraus die WIRKSAMKEIT deines selbstsein, als bedingungslose LIEBE sich vollkommen in allem spiegelnd zu finden wissen kann? Ist es WUNDER? Dass es nichts gibt was nicht miteinander verbunden ist? Ist es Wunder? Dass gar nichts - nicht zu hören, nicht zu sehen, nicht zu wissen ist? Ist es WUNDER? Was als WIRKLICHKEIT das HIER IST JETZT ES LEBEND SEIN, ist? Nein.
Kein **WUNDER**.
W ahr **U** nten **N** ur **D** ankbar **E** wiger **R** uf

Es ist wie es ist. Die Wahrheit nur einfach ist.
Und es war nie anders. Und es ist nie anders.
Warum? Kein WUNDER?
Nun. Was ist denn tatsächlich LEBEND?
Wunder .... Mensch ist wund.
WUND und **W** as **U** nten **N** ur **D** a?

Spiegel MENSCH als AUS ist IN?

Nun. Wahrheit? Oder Lüge?
Wer lebt denn was er ist?
Wie lebt denn der/die/das was ist?
Wo lebt denn was hier ist?
WARUM?
WAS?

OK.
O mega **K** ann.

Was ist eine **LÜGE**?
L iebe **Ü** ben? **G** egeben **E** wiges.

Was will ich dir hier sagen?
Und oder mitteilen?

Weder gibt es Lügen. Noch gibt es Nicht es vermögen ALLES zu erkennen. Gleichfalls gibt es als LEBENDES HIER in keinem Zustand den Weg des sich SCHÜTZEN Müssens. Und dies bedeutet - jeder gedachte Grund sich zu erwehren, etwas abzuwehren, etwas zu eliminieren, etwas zu zerstören, etwas weg-zumachen. Alles - umsonst. Und - vollkommen - entgegen dem was als WIRKLICHKEIT existiert.

DIE ALLVERBUNDENHEIT ist - hier.
Das IN ALLEM SEIN ist - hier.
DAS VOLLKOMMEN IN SICH HABENDE ist hier.
Der EINKLANG ist hier.

Ist das ein Wunder?
NEIN.

N ur **E** wiges **I** st **N** ur.

Was ist also der Grund? Für das was HIER auf dieser Erde seit Ewigen Zeiten lebt? Ist es dieser tiefe **Grund**?

G ott **R** uht **U** nten **N** ur **D** as.

Oder ist es der **Grund** ... **G** nadenlos **RUND**?
Das GNADENLOS nur du selbst - als SPIEGEL es sein kannst. Nur du. Nur alles SELBST was als Seele ist Geist - als lebendes ist.

JA.
Es ist gnadenlos.
Und bedingungslos.
Und sogar - ganz und gar - vollkommen IMMER!
dass was du glaubst das es sei.
Denn ... DU bist der Schöpfer deines Seins.
Als LEBENDES UNSTERBLICHES.
In allem. Mit allem. Durch alles. Für alles.

Doch.
D ank **O** mega **CH** ristus.
Kannst du wissen, dass es - geht. Und das du es bist.
Gleichfalls.

Meines ist Deines.
Doch. Was ein wirkliches Wunder dann ist?
Wenn diese Menschheit mal das lebend verkörpert
was sie ist.
Alpha UND Omega - als in jedem DA.

Das waren Gewesene die es SIND.
Frei und selbst-bestimmende Stimm-Gewalt.
Nun denn.
Freude atmet tiefste Liebe.
Liebe weiß, denn ist das Ewig.
Licht ist in der Wahrheit alles WIRKLICH.
Und das WIRKLICH ... WIRK L iebe CH ristus.
Ist er tatsächlich ÜBERALL?
Ja.
Schon immer.
Und für immer.
Denn ER/SIE/ES als KIND es ist.
Und du ... bist seines Gleichen - In dir Sein,
als Aus dir sein, es ist so gleich.
Das Wunder atmet, ist. Das Gleich in Gleich.
Für die Liebe alles ist.
DU es BIST.
ICH es DIR gebe.
Deinen SPIEGEL - denn bin **GLEICH**.
G eboren **L** icht **E** s **I** st **CH** rist.

WUNDER? Nein. Denn glaubst du wirklich - Gott hat - nicht alles be**dach**t? Sicher. Das **Dach** dieser Erde ist der Himmel. Doch die Dimensionen liegen ganz allein in dir. Damit du selbst es lebend erfahren kannst - WENN! DU ES WILLST -, dass als RUNDUM ist IN ALLEM GLEICH - das Oben wie das Unten gleiches ist. Das Hinten wie das Vorne, gleiches ist. Das Ende war schon der Anfang. Und die Mitte ... nun - die Mitte ist dein Lebendes HIER als Körpersein. Was ist also ein Wunder? WENN es JEMAND lebt. Was er/sie/es EINFACH nur ist.

JA.

J esus **A** lles.

(Da. Schau nur. Die Obrigkeit ist in allem Wort die Wahrheit, ist die Wirklichkeit.)
21.05.2019

Ist es Wunder was auf dieser Erde ist? Ist es Wunder was das meine gegebene Wort als Spiegelsein Echo .... nur eines gibt, aus fast jedem MENSCH der ist? Ich sage MENSCH. Und nicht - WESEN. Denn die Wahrheit ist als Spiegelsein HIMMEL es LEBEN - es tut so gut wie NIEMAND es GEBEN. Ist es Wunder? Dass im HIER dieser Menschlichen sozialen Netzwerke... und dies - gnadenlos der SPIEGEL der REALITÄT dieser Lebensgemeinschaft – mit sein als ein Sammeldasein – Lebendes selbst- ganz und gar nur eines ist. Spiegel gegebenes dessen, was die Geber des jeden Denkenden Glaubens als Hingabe in Wort - Bild - Video ... ist. Facebook. GESICHTSBUCH. Von wegen - virtuell. Von wegen ... nicht das echte Leben. Von wegen ... Entschuldigung für ... Ich bin das aber nicht? Warum? Bist du denn hier? Weshalb lebt denn ein Mensch als GEGEBENES HIER? UM sich zu SUCHEN .... als NICHT? Sehr dicht die Wahrheit ist. Und sehr schlicht die Wahrheit ist. Und sehr einfach die Wahrheit ist. Solange du nicht dich selbst - gebärst - als das was DU bist, atmet und lebt es nicht.

Die Dominanz dessen was die Wirklichkeit ist, wird als eines immer nur das sein, was als VOLLKOMMEN ES SELBST GEBÄRT ERFAHREND LEBEN - dass IN ALLEM DAS LEBENDE ist - UNSTERBLICHKEIT.

D O M I N A N Z

D er **O** rt **M** ensch **I** st **N** ur **A** ls **N** emesis **Z** eugnis

----

NEMESIS.

Kurzdefinition – deutsch: Zuteilung des Gebührenden. / Griechische Mythologie, Göttin des gerechten Zorn, der ausgleichenden Gerechtigkeit. In der Neuzeit interpretiert es sich als solches. Die Aussage „Ich bin deine Nemesis“ wird als „Ich bin dein Untergang“ statt als „Du bekommst, was du verdienst“ interpretiert.

So es geschieht - bedingungslos seit JEHER!
nach deinem GLAUBE.
Und es ist der SPIEGEL WAHRHEIT
die EWIGE ANTWORT -
als nur eines da.
Gott.
GAB!
Nie anderes als das was SCHON! GANZES IST.
Um als GESAMTES das EINS zu sein.

Was ist die Wahrheit der Dominanz - meines Gebens? In Wort - gleich Bild - gleich TATSÄCHLICH ES LEBEN? Es wendet sich ab - das Menschliche Sein, wenn meines Wahrheit WORT den Spiegel gibt - dass NUR! DU SELBST ES ALS SPIEGELSEIN GIBST! Nur aus deinem SELBST heraus - es ist das LEBEN - als ZEUGE DEINER WAHRHAFTIGKEIT ES ALLEM ZU GEBEN. Es? Oder SIE? Sie oder Er? Wer ist es denn nur?

Was als LEBENDES HIER IST ALS SPIEGELSEIN UR?
Alle.
Gnadenlos.
ALLE! Wie sie waren und sind.
Geboren als himmlisches KIND.

In diesem großen TOPF wie Facebook und oder andere soziale Netzwerke, ist nichts anderes als der gleiche Zustand der als Realität? die Sichtbarkeit - der Menschheit ist. Sein lassen ist wissen was die Einfachheit der WAHRHEIT ist. Und ich lasse sein. Gnadenvoll ist gnadenlos zu atmen LICHT. In alles - Mit allem - Durch alles - FÜR alles. Bedingungslos spricht LIEBE ist. Als deines Glaubens Inhalt dessen was die Wirksamkeit der WAHRHEIT ist. So bricht das Steinsein Erde ein. Und wird denn ist das Wirkliche sein. Es war der Inhalt Ewiges sein. Was als dein Leben war und ist. Was als das GUT des Wissens deines HIER ist JETZT - die eine wahre Liebe sein. Das was meines ist - ist schon lebend. Und ich atme als Spiegel deines gegebenen Lebens, um dir als WORT gleich BILD es in deine - ist meine – WAHRHEIT als gleiches zu geben.

Nemesis.
N ur **E** wiges **M** ensch **E** ines **S** elbst **I** st **S** ein.

NUR EWIGES.
NUR EINES.
NUR LICHT.
Mensch.

Das ist meines was ich dir als Antwort zu geben habe. DU selbst - bist - die Note - das Lied - die Musik - die dieses Leben - spielt.

ZORN - **Z** entrum **O** rt **R** uhe **N** ur.
Das ist alles.

Gebe dich hin - in deine BEWANDNIS.
Dafür bist du hier.
Alles andere ist

....

nichts.

19.05.2019

Ohne Liebe existiert nichts was Lebendes ist. Ohne tiefste Wahrheit gäbe es das Lebende nicht. Ohne die Wirklichkeit wäre die Wahrheit nicht das Lebende da. Als Samen gegeben die Einfachheit der Drei. Des Dreiklang Geschehenden Eins. Frei gleich bedingungslos.

Selbst zu gebären. Als Drei ist Eins. Hingegeben Wahrheit. Als Atem der Wirklichkeit. Und es ist die Einfachheit, die spiegelt die Dreifaltigkeit. Nichts wiegt schwerer als die bedingungslose Hingabe des eigenen Lebens. Denn nichts ist das Lebende DA, wenn nicht vollkommen die Wahrheit sich lebt. Wenn nicht der Samen das ist was als Schon gegebenes es war. Wenn nicht die Wirklichkeit der Spiegel ist, dessen was als Vollkommenes gegeben war. So ist es tiefstes Liebendes da. Wenn als Samen es ist, die Frucht als die Blüte. Als das was so Seelenreich geschenkt war. Es zu leben gebracht atmen, was aus der Wahrheit gegeben war. Liebe. Als tiefsten Spiegel Licht. In allem atmet die Wahrheit der Geist ist das Lebende da. Bedingungslos das Ende als der Anfang, war die Ewigkeit.

"Es ist Liebe".
Flüstert das Licht.

Tränenreich ist Lebendreich.
Doch hingegeben atmet Ewigkeit.
Als Himmel ist lebendsein das Da.

Dankbarkeit.
Ende war die Eine Zeit.
Anfang ist die Immerzeit.
Liebe singt die Wahre Zeit.

15.05.2019

In der Mitte dieser Nacht.
Geboren aus dem Urglauben einer Wahrheit.
Eine.
Und es waren nie mehr als diese 3 Worte.
Alles ist Licht
- beschreibt die Wahrheit –
Ich liebe dich.
Für die Zukunft. Für das Gestern. Für das Heute.
Es ist das Immer was es ist.
Bedingungslos hingegeben atmet.
Das Lebende Hier ist Jetzt,
ist immer eines nur, ist gleiches Ewiges.
Liebe lebt als trauendes JA.
Atmet als in allem Einfach.
Und es ist das Wunderbar.
Denn geboren war Unsterblich sein.
Wie eine Blume.
Wie ein Vogel.
Wie ein Baum.
Wie Berg gleich Wasser.
Wie Liebe die weiß,
dass die Erde der Spiegel des Himmels ist.
Ja. Bedingungslos JA.
Meine Wahrheit ist die Antwort des Lichts.
Und ich schenke allem Glauben tief.
Denn es gab die Liebe als eines sein.
Das es ist das Drei in allem zu einem Hier.
Geben ist Leben.
Lieben ist Leben.
Wissen was der Glaube ist.
Ich weiß es, Gott.

Mein Wir es atmet als tiefstes JA.
Für die Liebe ist,
meines gebend - dieses lebend.
Danke ist die Antwort als hier.
Denn aus deinem Licht geboren,
atmet Dreiklang in Einklang hier.
14.05.2019

Aus dem Samen der Wahrheit geboren. Gegeben es ist das Dreiklang zu einem Klange lebend. Stillstes JA. Summen geschehendes WUNDERBAR. Denkwürdiges ELEMENTAR.

Es atmet die Wirklichkeit als bedingungslos gegeben da. Hier! ist die SICHTBARKEIT! Jetzt! ist die LEBENS-ZEIT! Es spiegelt sich das Selbstverständlich EWIGSEIN. Als IN ist AUS des LICHT gegeben. Des Lichtes ATEM ist das LEBEN. Das Lebende des EWIG LIEBENS. Des Ewig GEBENS. Des Ewig ist die Summe GANZ.

Das rote Band es atmet Wahrheit.
Es ist der Spiegel Erde Himmel.
Es ist die Wirksamkeit des LIEBEND DA.
Es ist das DREI als EINS gegeben da.
So leicht.
So einfach.
So bedingungslos.
Und doch
so - Spiegel gebend - Wahrheit - RUFT.

Die Menschen leben - NICHT - es lebend. Sind nur als Zweifel Lebend da. Denn atmen Zwei sein nicht als Wunderbar. Das Zwei sein INNEN ist die Ganzheit. Das DREI was ist der Spiegel - LEBER. Heißt Körper. Ist das Endlich. Und dieses - einfach - was der Schlüssel ist. Nur KÖRPER öffnet - HIMMEL - hier. Bäume dich auf. Und erbarme dich tief. Erkenne in deinem LEBENDEN da, das du bist SELBST - die gesamte SCHAR. Wenn du es wagst, als lebendes KIND. Wirst du es atmen als EWIGES KIND. Und das Ende ist die LIEBE. Unerschöpflich schon geboren. Tiefst geschenkt und nie verloren. Tu es. Sei dir SELBST dein Samen. Bist es. Liebstes Kind des Lebens. Bist es. Warst es schon als Ewig Leben.
12.05.2019

Meine Wahrheit? Ist eines als Gleiches sein nur. Wirklichkeit ist das Wissen, ist der Glaube, ist Unsterblichkeit, ist Seele, Geist, in ist aus Körperkleid. Dreiklang ist Wunder Einklang leben. Leicht, gleich bedingungslos Liebe ist Frieden, ist Licht. Der Himmel verankert in allem gleich hingegebenes DA. So bin ich Körpersein IST LICHT der Welt, der Ort und im selben Augenblick unglaublich sanft die Wirklichkeit dessen was Unsterblichkeit IST. Meine Wahrheit als Antwort, es ist gesegnet alles ist. FEDER gleich STEIN und geschrieben sichtbar als Papier gegeben ist. Das Dornenlos ist die Wahrheit der Rosenlinie lebend. Meine Wahrheit? ... Gott ... Und somit meine Wahrheit, Deine im gleichen. Du kannst wenn du willst. Tun ist es geben. Tun ist es leben. WAS ALS UNSTERBLICHES SCHON IST. Hingabe der Weg des TRAUENDEN ist. Das Ende ist der Anfang. Du atmest als bedingungslos. Du bist gegeben frei und willig, es schwerelos zu spiegeln was Unsterblichkeit IST. Ein Gedicht. Ein Licht. Ein Lied. Hochschwingung des Dur ist die Wahrheit als Antwort, ES ist gesegnet alles ist. Denn alles ist der Spiegel deines Glaubens.
11.05.2019

Das Schweigen der lebenden Menschen. Als Großes auf Erden das kleinste Übel atmet. Demut des Wissens was die Wahrheit ist. Nichts geschieht von ungefähr. ALLES ist im Voraus schon gegeben. Doch Liebe ist frei. Und Liebe weiß. Allein ist die Wahrheit als Antwort ES ist gesegnet alles ist gut und alles darf sein. Nur so.

Ist bedingungslos gebunden frei die Wirklichkeit vorhanden, ist Seele, Geist, Unsterblichkeit, als Transformation Liebe, Frieden, Licht, als Heilung ist Selbstreflektion, Bewusstsein LEBEND erfahrbar, gegeben. Die Menschen zweifeln. Der gefallene Glaube WAS DU BIST wirklich, ist der Schlüssel für jegliches Verständnis, WAS bedingungslos NUR eines ist. Licht ist Frieden. Das Bewusstsein dessen was Unsterblichkeit ist. Schweigen ist die Wahrheit als Antwort, Es ist gesegnet alles ist gut und alles darf sein. Es ist gegeben ein Sternenmeer. Doch es spiegelt sich ein Tränenmeer. Das Ende ist der Anfang. Zweifellos und schon gewesen. Die Liebe war der Liebe ES hingebungsvoll zu spiegeln. Was als Ewiges gegeben ist schon gegeben war. 07.05.2019

Bedingungslos. Die Liebe ist. Bedingungslos ist gnadenvoll gefülltes Gnadenlos. Denn du wirst es nicht leben, wenn du es nicht selbst tust. Das was das Wundersein als Lebendsein, es als GANZES DREI IST EINES IST. Das Ende ist der Anfang.

Wie ein neugeborenes Lebendes DA atmet als liebende Schar, das Dreiklang Geschehende als EINKLANG Tag und Nacht. Nie süßer die Glocken nie klingen. Und nicht schöner kann Lebendigkeit sein. Als mit den Vögeln zu singen, und mit dem Wind es als Gemeinsam zu sein. Mit den Blumen, den Käfern, den Schnecken und mit allem Getier was atmet und schleicht. Es ist so wunderbar dieses Dasein Erden. Es atmet das Danksagungsgebet ohne Unterlass. Hinter dem Tod. Liegt die Wahrheit des Lebens. Hinter ist unter, ist durch die Angst es lebend zu spüren. Wie stark die Kraft der Liebe ist. Wie unendlich die Macht der Wirklichkeit ist. Und wie wunderschön, die gesamte Erde ist. Heilung bedeutet TRAUEN. Hingabe und sich antrauen, dem was als Liebe und Licht die Unsterblichkeit ist. Das Körpergeschehen geschieht wie von Selbst. Denn schwerelos ist die Antwort auf die Wahrheit. Schwerelos und bedingungslos und grenzenlos. Denn dies ist die Wirklichkeit einer Seele als ein Wundersein des Geistes, was als in ALLEM LEBENDEN es ist. Das was das Lebende ist. Danke. UND! Ja. Ich bin Liebe. Unendlich. Und in allem mittendrin. Es ist wunderbar.
Herzens Gruß.
02.05.2019

Nichts vermag dich zu brechen.
Nichts vermag dir genommen zu werden.
Nichts kann sein außer eines.
Du atmest als das was du bist.
Als ein Ende das der Anfang war.
Und du wirst aus allem auferstehen,
wie ein nicht zu ersetzendes Leben.
Denn es ist das Einzigartige deines Wesens.
Es ist das Einzigartige deines Eigenseins.
Was dich auszeichnet
als vollkommenes GANZES SEIN.
Tief die Nacht und es ist der dunkelste Punkt.
Und es ist die Macht der Wahrheit die alles macht.
Und es ist die Hingabe als gesamtes Ja.
Und das Ende lacht.
Es lacht.
Denn die Nacht war der Moment,
wo die Liebe als Wirksamkeit die Ewigkeit erklärte.
Und das Licht was als Samen Gottes strahlt.
Es ist in allem dieses tiefste gegebene JA.
Für immer. Ist ein Immer.
Und es ist das JA es ist - geschehen - DA.
Danke Gott.
Ich verbeuge mich und danke als dienendes Immer.
Für dich ich schenke allem Gleich.
Denn alle Gleich, so gleich gegeben.
Zu tiefster Liebe atmet ewig.
Ich atme für die Erde Licht.
Und schenke deinen Glauben weiter.
Und gebe dein Mir Trauen jedem Mensch der ist.

Und lebe, wie du es für mich gedacht,
als freies Wesen nur zum Geben.
Und eines immer. Ewiglich.
Das Drei in mir, ist eines Du.
Und einer noch. Den kenn ich auch.
Das Drei des Ganz es atmet FREI.
Ich liebe es. Und Gott ... ich danke dir.

02.05.2019

Dass die tiefste Not die Freiheit birgt. So wird Samen Gottes in die Wirksamkeit des lebenden Körper geboren. Es werde das was eines nur ist. Und du wirst nichts mehr wissen. Und du wirst nichts mehr hören. Und du wirst nichts mehr sehen. Und du wirst, denn du bist. Dass sein was als Wahrheit die Wirklichkeit ist. WENN dein Wille es lebend IST. Wenn dein TRAUEN es lebend IST. WENN dein WISSEN es lebend IST. DU WIRST. Denn du bist. Als tiefster GLAUBE geboren - UM ES SELBST als SPIEGEL zu sein. Niemand wird es dir nehmen. Niemand wird es dir geben. Niemand und nichts wird es FÜR dich sein.

Was als Ganzes es selbst ist. Liebe ist Seele, ist unsterblich. Licht ist Geist, ist UNSTERBLICH. Deine Bewandnis ist dein Erkennen was ist es DEIN KLEID. Der Körper - ist dass, was das ENDLICHE ist. Doch INHALT des Körpersein ist die WAHRHEIT des UNENDLICH sein. Keiner spricht. Keiner sieht. Keiner weiß. Denn dir alles gegeben, damit du selbst es als Lebendes atmest. Bedingungslos, und siehe die Erde der Menschen, absolut gnadenlos. Erfüllt sich es immer genauso wie die Selbster es GLAUBEN. Nichts ist dort, wo du nicht selbst es bist. Niemand ist du - wo du selbst es nicht bist. In der Mitte. Dort wo die eine Wahrheit alle Wahrheit ist. Dort. Ist der Ort. Der tiefe Raum, der ist der tiefste Traum. Es ist als IN DIR die WIRKLICHKEIT lebend. Dass die Umkehr des Todes das Immer ist Leben, es ist. Doch. Und doch. Es schweigt. Es weint.? Es will? Es ist? Es wollte. Es wusste. Es lachte. Es war und wird. Und dieses Summen der Liebe. Hörst du, ... sie spricht. Sie ruft. Sie ist so sanft und so wunderschön. Als es ist der Himmel lebend. Als es ist die Erde, die Spiegelung Himmel. Als du es warst, warst du hier. Als du es bist, warst du hier. Als du es wirst, warst du hier. Du bist es schon immer. Das HIER. Und jetzt? Gebe dich hin. Dann atmen wir gemeinsam ... dieses WIR.
Verlassen. Den Himmel verlassen. Um als Erde es zu sein.
01.05.2019

Wer es wagt der gewinnt. Doch wer es nur vage wagt, der nur vage gewinnt. Wer es wirklich tut - wird es wirklich leben. Seele und Geist sind BEDINGUNGSLOS als nur eines das Hier ist Jetzt das Lebende sein. Und zwar als Lebensgebende Faktoren des Dreiseins. Seele, Geist in / durch / aus - KÖRPER. Unsterblichkeit ist kein Hüh oder Hott. Ist kein Ja und auch Nein. Und auch kein Naja, und kann sein. Dies alles Glaubens Konstrukte des KÖRPER Geschehen in Gedanke und Handlung. Selbstreflektion - Du selbst BIST der Reflektor deines SEINs. - Das die Stille STILL ist - das du in allem SEIN GELASSEN wirst - sogar bis das du stirbst, ohne dass dir jemand etwas abnimmt, alles SINNVOLL als WAHRHEIT gegeben.

Bedingungslos. Vollkommen. Unsterblich.

Das ist alles was Gott als jedes lebende Wesen gegeben hat. Und dies schon seit Beginn, das erste Lebende hier auf dieser Erde atmete.

STILL

S elbst **T** iefstes **I** st **L** icht **L** iebe.

Selbsthingabe.

Es ist schon gegeben - alles.
Alles was es zu transformieren gibt,
ist das der Körper sich selbst als alles IN MIR,
ist Wirksamkeit WAHRHEIT, es hingibt.
Trauen - kann niemand für dich leben.
Liebe - kann niemand für dich leben.
Glaube - kann niemand für dich leben.
FÜR dich kann NIEMAND leben.
Nur MIT DIR.

Denn DU SELBST - bist als IN ALLEM -.

Selbstverantwortlich Geborenes DREI ist EINS.

Es aushalten. Dass Körper es als ganz alleiniges Geschehendes ZU TUN HAT. Es führt kein Weg vorbei - an DIR selbst. - Keiner. Denn der einzige WEG der geboren wurde BIST DU. Selbstliebe ist die Antwort von Selbstheilungskräften. Selbstvertrauen ist die Antwort von Selbstbewusstsein. Selbstsein ist die Antwort von WIR sein. WIR ist - alle sind alle ist ALLES ein Gleiches zu Gleichem in Gleichem. Seele / Geist / Körper. Das Wunder ist in allem selbst. Die Heilung ist in allem selbst. Die Wahrheit ist als alles selbst. Und die Wirklichkeit atmet - wenn deines meines ist. - Wenn du nichts anderes mehr lebend erfährst, als dass in jedem Augenblick das Dreiklang Geschehen praktiziert ist, als es ist nur ein Klang der alles ist. Schwerelos. Bedingungslos. Alles wahrnehmend gleich WISSEND und vollkommen als EWIGES JA das singende Lebende in Hochschwingung des Dur. Trauen. Resonanz - Trauen. Heilst du dich - heilst du Deines und du findest Meines als Deines Gleichen HIER. Meines - gelebt - und - als Für dich - dein Spiegel. Weinen ist - der Zustand - dass Schweres aus sich heraus - fließt. ... So ist es WASSER was Weinen ist. Und es ist wie es ist. Das Ende ist der Anfang. Ein Fest. Und es fließt Wein wie Wasser. Liebe weiß. Und sie ist leicht. Und sie ist unendlich.
Es ist ein Wunder - alles - was ist.
29.04.2019

Kummerkasten Tod. Kumme rüber Kasten wartet - ist dein Sarg. Kumm und komm. Du Kummersein. Du bist bekümmert, gleich kümmerst dich. Und als Kümmerndes Kümmernis, verkümmerst du, als dass du endest in dem Sarg. Es gibt keinen Gott. Und es gibt keine Seele. Und es gibt keinen Geist. Und sowieso gibt es keine Liebe. Alles Konstruktives Glaubensmanufakturiertes Gedanken Gelaber von Herrschenden Mustern. So wende sich ab. Die Kümmernis von dem was als Kummersein das Leben ist. Denn es ist schon tot was ja als geboren war, es ist. Denn ist das Ende der Kasten. Dort kommst du hin. In die Schublade TOD, da bindet sich das Glied deiner Not mit dem Singsang einer verlorenen Hoffnung. Gäbe es einen Gott. Gäbe es diese Welt wie sie ist nicht. Gäbe es Seele. Gäbe es Liebe. Gäbe es Geist. Gäbe es Licht. Gäbe es auch nur einen Funken Wahrheit - gäbe es nicht die Dominanz der Lüge. Denn es kommt nichts an. Niemand kehrt zurück. Und niemand lebt als ein lebendes WESEN. So ist es. Kein Gott. Keine Liebe. Kein Licht. Keine Seele. Kein Geist. Kein und Aber. Denn Kein - ist das Gegenstück zu Aber. **Da sind Körper. Das ist alles.** Und da wird weiter gepflanzt. Mann und Frau kriegen Kinder. Ob in der Natur. Oder in der Tierwelt. Oder die Menschen. Urknall aus der Dunkelheit. Und die Erde war da. Krieg und Frieden. - Gleiches wie Kein und Aber. Sehen kann man nichts. Hören kann man nichts. Wissen. Sowieso nicht. Alles für die Katze. Auf einem heißen Dach hockt sie und verbrennt sich die Pfoten. Das ist nicht schlimm. Das ist nur so wie die Realität halt ist. Bekümmert ist niemand. Es ist halt so.

Und wenn der Krieg wiederkehrt, ist das sowieso nur das was immer ist. Denn wo die Fetzen fliegen, da riecht es immer nach Blut. So ist es alles begrenzt auf Friss oder Stirb. So sieht es aus. Naja. So ist es dann auch. Denn gäbe es einen Gott. Gäbe es das, was sogenannte Gottgeschöpfe sind. Gäbe es Seele. Gäbe es so was nicht, wie in Nichts das glauben wollende, was da doch selbst die Lebensmaschinerie betreibt. Gäbe es Geist. Dann gäbe es nicht diese massigen Wiederholungen an Nicht es zu Leben zu bringen. Kein Gott. Kein Licht. Keine Liebe. Keine Seele. Kein Geist. Keine Unsterblichkeit. WAHRHEIT MACHT FREI. Alles beginnt mit dem Ende. Aus dem Dunkel kommt ein werdendes Sichtbarsein. Es ist ein Körper. Und der - ist da - dann geht er zurück. In das Dunkle eines Kasten. Und dort - liegt er dann - der Kummer. Bis - die Ameisen - ihn einverleibt haben. Dann. Kehrt es zurück. Und die Ameisen tragen das ganze Verkümmerte als neu geborenen Kummer zurück in die Welt. Wo der ehemalige Kummer des Körpers jetzt ist? Zersetzt. Und weg. Das ist eine LÜGE. Nein. Keine Lüge. Nur ein Spiegel.
Oder etwa nicht?

Wer arm ist, ist reich. Wer reich ist, ist reichgefüllt mit Arm. Wer ganz und gar tot ist. Der weiß was es heißt. Es GANZ zu leben. Was die WAHRHEIT ist. Zum Ende. Ich habe mir einen Gott erschaffen. Denn der Kummer war eine Nummer, die kotzte mich an. Ich wollte ein Leben haben - ohne Sorgen. Und ich wollte nur eines sein. Einfach nur das was ich bin. Jetzt. Habe ich den Salat. Ich lebe mit Gott.

Und ich lebe als eine unsterbliche Seele. Und dazu fließt durch mich - ist alles was ich bin - dieser Geist. Und es ist ein nicht endendes Geschehen. Ich komme da nicht mehr raus. So wie eine Krankheit - so hat die Liebe mich infiziert. Und so wie Krebs - so sichte ich überall Licht. Ich kann das nicht mehr ändern. Und sogar wenn die Ameisen mich fressen weiß ich, dass es ist. Mein Licht wird diese Erde dann noch mehr durchtränken. Weil ich kann diesen Vorgang nicht ändern. Das es ist wie es ist.
Das ist alles.
30.04.2019

Als der Glaube fiel, fiel das Sternenkind zu Boden. Fiel das liebend Kind aus Gottes Hand. Fiel die Wirklichkeit als Wahrheit.

So viele. Viele und viele Lebende Kinder. Kinder der Nacht. Atmen als Kindes Kinder Tag. Unsagbar nichts. Unaussprechlich nichts. Nichts gibt es was nicht zu vergeben ist. Denn es ist der Glaube gefallen. Zu tiefster Erde wurde die Wahrheit des Lichts. Als Samen des reinsten Gewissen gegeben. Als wachsende Selbster ihres Gleichen lebend sein. Als der Glaube fiel. War die Wahrheit geboren. Es gibt keine Not. Es gibt nur diesen Tod. Einmal sterben. Doch es war schon gegeben. Dieses ewige Leben. Bedingungslos atmet die Wahrheit Erden. Alles - geschieht - aus deinem Glauben geboren. Alles was deine Gedanken leben, ist das was du lebst. Alles was ist - ist - bedingungslos deinem SELBST als In sich LIEGEND - es WISSEN KÖNNEN - zugeordnet hier. Selbstreflektion ist Selbsterkenntnis was das SELBST als Gewahrsam sein ist. Seele, gleiches Geist - deine - Lebensgeber sind. So gebe dich hin. Dem was in dir dein LEBENDSEIN ist. Und erfahre, dass was das WIR des EWIGSEIN ist. Jetzt und hier. Es atmet Unsterblichkeit - als tiefster GLAUBE - lebend. Das rote Band der Liebe, ist mein Geschriebenes ... doch es ist deines wie meines Wortes gegeben Wahrheit als WIR. Wir sind es alle.
28.04.2019

Der Tod der Welt. Der Tod. Der Tod. Dieser Tod mit dem Krieg des Lebens und der Chance, der Tod. Es leben die zweifelnden Sterblichen. Doch leben die Unsterblichen Seelen im Geist der Wahrheit. Sie finden sich im Umraum eines Traumes. Doch sie wagen es nicht sich selbst zu offenbaren.

Aus den tiefen Früchten ihrer Kindesnot eines fehlgeleiteten Glaubens, atmen sie wie ein Menschenleeres Gewissen. Als ist es ein Sterbendes Leben. Als ist es ein nicht zu erkennendes Leben. Als gibt es nicht die Wahrheit als die Wirklichkeit des Samengegebenen Frieden. Gott, Vater, Schöpfer Himmel und es ist diese Erde. Als Samen gegeben die Liebe. Als Ewigkeit gegeben das Licht. Als ein vollkommen zu atmendes Unsterbliches, dies du hast als Lebendes gegeben. Als freies Geleit ein jedwedes Lebendes da. Als ein Körperkleid es atmen Seelen in der Mitte des deinen Geistes Spiegel. Doch ist es das einzig Tun des Selbst es lebend zu geben. Diese Herrlichkeit der Ehre, es ist in allem das ewige Leben. Aus nur einem Hauch. Aus einem leichten beschwingten, es ist des Frieden Spiegelsein das Körperleben. Aus dies in das. Aus Licht in Licht. Aus Liebe in Liebe. Oh. Oh. Oh. Es wachsen lebende Triebe. Die Erde versinkt im Schlund dieser Not des gesammelten Todes. Nur ein Korn ist die Wahrheit des Alles gegebenen Lebens. Vater, du mein Geber Leben. Gabst mir frei Geleit es selbst zu geben. Als Lebend Liebe, finden Wahrheit. Als lebend Licht zu ehren, dienend. Als freies Dasein deiner Treue. Es ist das Meine Totgegeben Leben. Was gebar die Wirksamkeit des deinen Glauben. Als sei ein Mensch nur Körper. Als sei Leben nur Polarität. Als sei nur das Beides gegeben. Das sie glauben es gäbe nur die Wahrheit - Leben und Tod. Krieg und dann gibt es Frieden. Als wäre der Atem nur eine Lunge die irgendwann dann tot ist. Es sind Unzählige die nur in einem Umstand leben. Sie glauben nicht was sie sind. Sie atmen nicht was sie sind.

Sie leben nicht was sie sind. Meine Antwort ist deine. Ich schweige und bleibe das Still. Denn sie sehen mich. Und sie denken, das kann nicht sein. Kein weltliches Gut ist als Beweis meine Sichtbarkeit. Kein Schnörksel und kein Erfolgsgehabe ist der Ein und Ausgang meines Atems. Und in nichts zu begleichen, ist mein Gebendes Trauen was ich dem Jedweden Im Hier es ist das deine Reich gegeben, als es ist die Heimat meines Reichtums hier. Dass ich es bin. Dein Kind. Als in einem Atemzuge geboren war der Sohn, ist gleich Tochter. Dass ich es zu geben habe. Denn es ist so ein Ende einer Zeit wie nie zuvor es gab das Zeitenende von Lebenden Gewissen. Aus deiner Wahrheit geboren die Urkraft des Geistes Erden. Gesamtes Ja als ein Wirkmechanismus zu geben. Diese Allgegenwart eines Fehl - Glaubenden Musters. Es ist ein In Nichts zu Änderndes Leben. Es ist ein In Nichts zu errettendes Leben. Es ist ein In Nichts zu erlösendes Leben. Alles was ist, ist Liebe. Alles was ist, ist Licht. Alles was ist, ist Frieden.
Denn alles was gegeben ist, ist vollkommenes Dasein als Seele ist Geist, ist Körper. Und dies. Oh Vater, Gott, der du bist der Schöpfer des Jedweden Lebenden Da, seit als ein Licht, es als Alles ist es, geboren war. Es ist und war immer nur eines. Hingegeben die Liebe. Hingegeben das Licht. Hingegeben Seelen als Selbst ist des eigenen Geistes Wahrheit, die Allgesamtheit des bedingungslosen Wissens, alles ist der lebende Segen selbst. Allesamt diese GANZEN Menschen, wie sie waren und sind. Alle das Gleiche wie ich. Alle nur eines. Das gleiche Unsterbliche Dasein in einem Körper,

der nichts ist als Samengegebenes Licht. Sichtbar wurde ein Dreigeschehendes Ja. Es ist das Männlich gleich Weiblich, gleich Göttliche JA. Doch sie atmen es nicht. Sie glauben es nicht. Sie tun es nicht. Sie leben es nicht. **Denn sie trauen nicht**. Und sie zählen Stunden, gleich Jahre. Und zählen Manifestation wie als gäbe es nur das. Dieses DAS, wo ist das DAS. Demut Alle Selbst. Dieser Mut der geboren war, als Du kannst es leben. Du hast mich geboren damit ich es lebe. Und es gebe. Das was aus deinem Geiste geboren ist. Ich gebe Vater. Und ich lebe. Und ich bin. Als deine Liebe für die Liebe, eingeborenes Kind deiner Wahrheit. So ist es die Wahrheit. So ist es das Lebende Gewissen. So ist es der Spiegel des reinen Wissens. Aus der Not in den Tod. Doch waren sie alle geboren als ein Echo zu geben. Es ist die Liebe. Es ist die Feder. Es ist die freie Entscheidung. Es als ein freies Selbst in sich frei zu finden, gleich vollkommen frei es als zu zollen und zu zeugen. **Ja. Ich bin Kind des Lichts. Ja. Ich bin Kind der Liebe. Ja. Ich bin Kind des Frieden. Denn Ja. Ich bin unsterbliches Leben. Mein Kleid ist ein Körper. Doch vollkommen durchlässig, kann ein jedes sich sehen. Kann ein jedes sich hören. Und ein Jedes kann sich als in jedem Selbst fühlend, gleich wissend erfahren. Es ist das Himmelreich das Lebende Hier. Wenn aus deinem Gedächtnis deines als Meines sich erinnert, selbst geboren, zurück zu geben weiß.**

Es gibt nur einen **WEG**.

W ahrheit **E** s **G** laube.

So bin ich hier als Kind des Wahren Glauben. Um dir deinen zu geben. Vollkommen mein Trost bei dir. Vollkommen mein Gewissen bei dir. Und vollkommen ist die Wahrheit. Das Ende ist der Anfang. Es ist LICHT. 27.04.2019

Siehe ich bin. Siehe ich habe. Siehe ich bin die Liebe als lebendes Da. Das was ich bin. Was den Zauber begleitet, ist mein lebender Mann.

Ist die Wahrheit des Lebenden Liebens. Ist die Wirksamkeit des Ich bin das Wir des Liebens GANZ. So sehe, mein Wir ist schon vollkommen. Nicht ein Mann kann mich bezirzen. Nicht einer kann mich bekommen. Denn bin ich schon vergeben. Es ist der Samen Ur der meinesgleichen ist. So bin ich sichtbar für all diese Menschen. Männer wie Frauen. Doch es atmet aus meinem Wir nichts zu dir, außer eines. Das was du bist, liegt ganz allein IN DIR. Als Sichtbares JA bin ich eine Frau die in sich mit dem Mann geeint. Und diese Liebe die als die meine es ist, ist das Ende aller Zeit. So bin ich das GANZ allein, und doch es atmet als Zweites Herz das In mir Sein als Außen ist es gleich zu gleich. Ich bin in Liebe mit einem einzigen Menschen auf dieser Erde. Dieser Mann ist ich. Und er war es schon immer. Und ist es für immer. So sind wir die Liebe der Wahrheit die bedingungslos das Schweigen bricht. Denn es war und ist wie es ist. Das Menschen Geschlecht es lebt es nicht. Was Wirklichkeit der jeden Lebens Zeit als FÜR jeden gleiches ist. Es ist in nichts - die Wahrheit Gottes - Spiegel Menschen Erde. Es gibt ein Ende. Für alle. Doch was es war, für alle - diese ganzen lebenden Unsterblichen? - Nun. Wundere dich nicht, ich lasse getrost alle sein. Mein Trost weinte und weint. Denn es ist sehr trostlos was die Wahrheit ist. Das man mich sieht, um es nicht glauben zu wollen. Man sieht nur ein Bild. Und so viele glauben nicht was dazu geschrieben steht. Selbst ist der Mann. Selbst ist die Frau. Selbst und vollkommen selbstverständlich. Für jeden zu leben, dass was als nur gegeben war. LIEBE. Diese, wie alle es wissen, NIEMALS endet. ...

Doch WER? lebt es denn tatsächlich - LICHT. - Dieses, wie alle es wissen ... doch WER? lebt es denn tatsächlich - die Energie als nur eines ist - dies bedingungslos POSITIV ist FÜR Leben gleich FÜR Frieden - gleich FÜR Trauen - gleich FÜR Glauben ... ist. Und dies als es ist das Fundament, was in allem LEBENDEN ALS GLEICHES VERANKERT IST -, atmet und ist. .Es ist das WISSEN - und zwar vollkommen - es zu WISSEN was als alles - das Gesamte ist. Mein Ende war schon. Das was kommend ist, ist das was als Anfang gegeben war. Es war nur ein Mann. Es ist nur ein Mann. Und dieser Mann, ist ich. Warum ich mich zeige und es beschreibe? Mein Wir ist der Spiegel deines Licht. Für dich gleich jeden der ist. Ist meines das Gedicht was als lebendes atmet. Und es ist ein glorreiches Fest. Denn der Himmel atmet Erdenweit. So ist es sehr einfach. Was als nächstes kommt. Ein Flüstern. Direkt hinein in mein Ohr. Und es antwortet innen die gleiche Stimme. Für immer ich lebe. Denn bin ich die Liebe, die ist. Denn bin ich das Licht, das es atmet. Denn bin ich die Feder, der Stein, gleich ich bin das Rosenkleid. Und als ein Ende für jetzt... Ich bin hier um dir deinen Glauben zu schenken.

Genug?

G ott **E** ins **N** ur **U** nten **G** üte.

Schönen Tag. Und ja.

Ich liebe einen Mann hier auf dieser Erde.

27.04.2019

Was Gott gegeben, kann NICHT der Mensch nehmen. So ist es der Inhalt des tiefen Raumes bleibt, unsterblich ist, was als Manifestation das ewige Gedächtnis des vollkommen wissenden Glaubens nur ist. Seele und Geist das Inhaltsgegebene eines Körperseins als lebendes ist. UNSTERBLICH das was die Wirklichkeit ist. Als frei und willig es fühlend weiß, das Spiegelsein des Wunderbar was Unsterblichkeit, heißt. Die Erkenntnis erfolgt aus der Selbsthingabe in das in sich liegende eigene Lebendsein. Es ist vollkommen lebend gleich hingegebenes DA als Essenz DEINES Seins als HIER IST LICHT der Welt. Der Ort und im selben Augenblick unglaublich sanft die Wirklichkeit dessen was Unsterblichkeit ist. Das UN des Sterblichen ist das inhaltsgegebene wahre Geschenk. DIESER LIEBE, die DU BIST WIRKLICH. Wie eine Feder fliegt. Und wie eine Blume die lacht. Wie ein Samenkorn gegeben in Erde. Es ist vollkommen, wenn AUS DIR die Rosenlinie, die es MACHT, den Ton in alles spiegelt. Samen Licht gegeben in Erde. Als Erdensein es ist das Himmelsein. Die Liebe spricht und zollt sich selbst RESONANZ. Das ECHO ist der tiefste Frieden. Das Bewusstsein dessen was Unsterblichkeit ist.

ECHO

E ines **C** hristus **H** aus **O** rt

Das Echolot ist die Antwort auf die Frage, Es ist vollkommen lebend gleich hingegebenes DA, das was als lebendes Wesen das in sich selbst gefunden, unsterblich schon gegeben war. DEIN Glaube erschafft dein SEIN. Dein Glaube IST dein Denken. IST die Antwort als dein Schenken.

IST die wiederkehrende Energie, welche AUS DIR heraus gegeben ist. Selbstverständlich. Selbstbestimmung. Selbsterkenntnis das jetzt und hier das Lebende ist. Denn Zeit, gleich Ort, gleich Dimension, es immer nur der Anfang IST. Gemacht, es schon gegeben war. Denn Gott DEIN DICH HINZUGEBEN war. Und er ist. Er ist. In allem Lebenden, er ist. Zeitlos ist Zeit. Und DOCH es ist dein Raum als deine Lebenszeit.
26.04.2019

Wie ein Fisch im Wasser... bin ich. Wie eine Feder fliegt als Wasserfall... bin ich. Wie ein Samenkorn gegeben in Erde, bin ich. UND wie Nacht ist der Spiegel des Tages, bin ich. Denn tot gelebt und atmend, habe ich dem Tod als Ewigkeit den Tribut der WAHRHEIT es lebend gegeben, dass ich es bin. Jenes Lebende zu Erden Sein als es ist der Himmel verankert in allem, nur es ist es. Mein WIR ist die Kraft der Wirklichkeit, ist das Wissen, ist der Glaube, ist Unsterblichkeit, ist Seele, Geist, als Dreiklang das Wunder Einklang leben, als ein Leichtes ist Liebe ist Frieden das Licht. Ein Gedicht?
Oder ein Gericht? Nun. ES ist WIE es ist. Meines immer Deines ist, was DICH als Körpersein bedingungslos in der wissenden Ruhe und Wahrheit des Lebens in reinstem Wissen WAS ALLES IST, zu Ehren und IN Liebe IST LICHT , DICH zu offenbaren weiß. Es gibt keine Entschuldigung für nichts. Es gibt nur eine Wirklichkeit, als 1 Wahrheit vorhanden ist. Vergebung erfährt sich als Selbsterkenntnis das jetzt UND hier das LEBENDE ist. UND ALLES als Einklang reflektierenden unsterblich schon gegebenen Frieden IST BEDINGUNGSLOS das SELBST FRIEDEN atmen und leben – es sein. Das jüngste Gericht. JA. GANZ das meine es ist. Für dich gleich jeden Menschen der ist und war als LEBENDES Wesen HIER auf dieser Erde. Gott sagte tu es. JA. Ich TUE IN seinem Namen alle Ehre zu geben, was den Traum als Raum atmet. Der Name Gott. Auch nur ein Wort?... Es geschieht alles nach DEINEM Glauben... ob du das mir jetzt glaubst oder nicht... Es ist. Denn tot gelebt und atmend... spricht für dich... mein SEIN.
25.04.2019

Aus der tiefsten Mitte wurdest du gegeben.
Um als dein Selbst es zu geben.
Was ES ist. Was es ist.
Dass Seele gleich Geist
die Einheit des einen Gesamten ist.
Das EINS ist der Spiegel des WAHRHAFTIGEN DREI.
So ist es ein fortwährendes Geschehendes DA.
Alle Summen Leben eines sind.
Alle Leben waren, sind als eines da.
Allesamt geboren FREI.
Um als
F riedens **R** eich **E** ines **I** st.
F eder **R** einstes **E** wig **I** st.
F reude **R** uft **E** s **I** st.
F ür **R** ückkehr **E** ines **I** st.
F indend **R** eichstes **E** ines **I** st.
F euer **R** einheit **E** wig **I** st.

Es brenne tiefst das Menschsein SELBST. Der dunkelste Tag war die Hellste Nacht. Das was WAR ist das was IST. So ist des Samens UR die Wahrheit LEBEND. Eine Hölle - NIE gegeben. Das DREI ist SECHS ist DreiKlang LEBEND. Zu brennen alles tiefst es leben. UM es ERKENNEN war nur EWIGES zu LEBEN. War und IST es immer GLEICH. Du bist der ANFANG, MITTE, ENDE. Von dem was IN DIR glaubt, es weiß. Geboren eine 7. Aus dem Drei zu EINS geschehend lebend. So brennt die Erde wie es war. Denn Menschen atmen Zweifel lebend. Doch. Es ist der DOCHT. Der hat es gemacht. Das was als FREIE LEBEN - geboren - um es SELBST zu geben. Was sie sind. Was sie waren. Was sie werden.

SIE SIND. Immer nur sind. Mein Wort gegeben als WAHRHEIT UR. ER ist der Geber des meinen Geistes. Ich bin hier als Spiegelbild Himmel. Als Wahrhaftigkeit des EWIGEN LICHT. **Für dich**. Nie dagegen. Doch eines - darfst du wissen. Denn du weißt es im tiefsten Punkt deines Atems SELBST. Ich lasse dich brennen. Ohne mit der Wimper auch nur zu zucken. Denn ich weiß, dass du es kannst. AUFERSTEHEN LEBEND als DreiFaltigKeit der einen WAHRHEIT. Federleicht - gleich Hochschwingendes DUR. Wir sind... wir sind ... es immer nur -

LIEBE.LICHT.FRIEDEN.

Das Himmelreich es ATMET hier.

17.04.2019

Der Schlüssel des Frieden. Ist das bedingungslose Erkennen, was den Traum vom Raum scheinbar trennt. Was das UNSICHTBAR vom Sichtbar scheinbar trennt. Der Körper ist der Schlüssel für jegliches Verständnis IST gleich Schwingung von SEELE UND GEIST ist Unsterblichkeit in Sterblichem.

Das Selbst – erkennen - wollen.

Die Freiwilligkeit IST die Bedingungslosigkeit des Selbsternannten GLAUBENS Wahrheit zu offenbaren.

Nichts IST getrennt.

Nichts IST nicht zu vergeben.

Nichts IST nicht zu wissen.

Nichts was Unsterblichkeit ist kann jemals sterben.

Doch die bedingungslose Selbsthingabe

ist der Zustand,

IST TUN,

es selbst gebärt zu leben bringen wollen.

Gott schenkte und schenkt jedem Atemzug und Augenblick als lebendes Wesen das Funktionsprinzip des Seins ist schwerelos zu spiegeln was Unsterblichkeit ist. Dreiklang ist es als Einklang zu leben gegeben. Liebe, Licht, Frieden. Das Bewusstsein dessen was Unsterblichkeit ist. ES ist in allem dein Wissen was alles ist. INNEN RESONANZ, als Spiegelgleich aus allem Lebenden was ist, da. Frieden ist die Seele des Geistes. Frieden ist die Demut der Wirklichkeit. Ist das Wissen, ist der Glaube, ist die Wirksamkeit der Allmacht des Allem was alles ist. DU kannst. Wenn du es willst. Es ist nichts im Lot wenn die Menschen zweifelnde Lebende sind. Selbstfrieden ist Weltfrieden. Ist SELBST FRIEDEN atmen bereit sein und es geben. 16.04.2019

Das EchoLot.

Was ruft aus dem Wald heraus, kehrt ein in den Wald herein. Was sich selbst in sich gegeben ist, ist als Antwortgeschehendes dass, was als Resonanz aus dem Außen in das Innen zurückkehrt. So ist das ECHO was die Liebe sendet, als es ist das INNENSEIN das DREI IST EINES sein. Es ist die Resonanz des DRITTEN was als Antwort durchwirkend ist als WIRKLICHSEIN. Die Kraft ist die Macht. Die Wahrheit ist der Anfang, Mitte, Ende eines Lebendsein. So ist das Lebende als Körper/Seele/Geist, das Hier ist Jetzt es als WIRKSAMKEIT voll und ganz als LEICHTIGKEIT ist SCHWERELOS, es nur als eines leben. Es gibt eine Bedingung. EINE. Nur eine. Das was geboren ist, ist drei. Das was lebt ist eins. Zwei des Drei sind - schon - schwerelos, bedingungslos, ewig lebend. Seele gleich Geist sind die Fundamente von Lebendem als solches - überhaupt. So wie man sagt, ohne Moos nix los... so ist das im Gleichen mit - ohne Seele und Geist - kein Körper der lebend ist, da. EINE Bedingung gibt es. KÖRPER ist der Schlüssel für die WAHRHEIT selbst. Wahrheit macht frei. Gebe dich HIN in das was DU BIST. Und erfahre IN DIR die WIRKLICHKEIT was LEBENDES IST. Das Wunder was sich lebend als ein Körpersein offenbart, ist das Zustand sein der WAHRHEIT, die alles was Leben als Sichtbarkeit war und ist.

Diese eine Bedingung. BEDINGUNG.

Ich erzähle nun das Wort des einen Schöpfer Lebens. Erschuf er doch das Sein wie ist es. Es gibt den Himmel, gleich die Erde. Und aus dem dunklen Raum erschuf er nichts als Licht.

Das Er wie Sie ist Gleichsein ES ... so schwingt als TON das LIED ist die Musik als Gleichklang IMMER. Es lebt das geborene SEELENSEIN als EWIGSEIN des SEINEN GEISTES WAHRHEIT. So sind die Summen der gegebenen Leben, in allem ein Gleiches als Gleichsein es sein. SEELEN leben atmungsaktiv in Körpern. Das war schon immer so und das wird so sein solange es Sichtbaren Lebensraum gibt. Solange Zellgeschehen stattfindet, wird es DREI geschehendes Lebendsein geben. Abkömmlinge des einen Lichts. Was nichts als WAHRHEIT ist.

Was ist nur die **BEDINGUNG**?

B erühre **E** s **D** ankbar **I** st **N** ur **G** ut **U** nten **N** ur **G** ott.

KÖRPER ist der Schlüssel für ALLES was ein LEBEN ist. Erde ist Körper. ZEITENSEIN ist LEBENSZEIT.
Einklang Tag, Ausklang Nacht. Ein und aus in GLEICHER PRACHT. Die Pracht ist die Tracht. Denn das SICHTBAR KLEID ist das Körperkleid. Doch innen ist das außen gleiches. Es ist nur Ewigkeit die lebend - ist. Als das was Lebendes ist. Dieses Ewiges als Drei ist Eines ist. Das Hin und Her des Drum Herum .... Solange Mensch es nicht selbst TUT, ist die Bedingung - NICHT da. Dann berührt der Körper als das was er als Wahrhaftigkeit ist, nicht den Ort, gleich den Raum, gleich das Innen wie das Außen, als das was die lebende in sich liegende WAHRHEIT ist. Und solange man selbst nicht berührt - ist man auch nicht zurück...berührt. NUN JA. Berührend - die Assimilationen der Menschen als solches - in Hülle gleich Fülle - gegeben.

Du bist das Geborene. Du darfst es selbst tun. Nur du selbst kannst es tun. Alles bist du. Nur Du bist das Leben. In der Du seins Qualität liegt die Du seins Quantität. So ist das DEINE gnadenlos - das EINE.

TUN.

T ief **U** nten **N** enner.

Was ist ein Bruch? Siehe mal Definition Bruchrechnung. Und sieh mal genau hin. Der NENNER - niemals die NULL.

Inhaltsangabe Null. -

Null war Anfang. Null hat alles geschaffen.
Null ist somit wie jeder es bezeichnen will.
Gott oder Ursprung oder Lebens Geber oder Urknall oder Anfang/Mitte/Ende oder HALLELULIA!!!

LIEBE.

LICHT.

FRIEDEN.

Seele und Geist. Ist alles was alles ist. Ungewöhnlich ist nur eines. Da ist es doch als ein Körper. Der darf es SELBST Unten -, sage mal aus dem Himmel gesehen ist die Erde das Unten. Doch wo ist denn Unten, wenn umgedreht es Oben ist. Bedenke man, die Erde ist eine Kugel im Raum dieses Sonnensystem, nenne man es Universum. Und da ist es dunkel ... **gell**.

G ott **E** wig **L** icht **L** iebe.

Dein TUN wird deine ER-LÖSUNG sein.
Denn die SUMME DREI ist Eines nur.

Ein Samen gegeben aus UR.
Wie man sieht - ich habe glatt die **NULL** gewählt.
Denn ich lebe als **N** atürliches **U** nten **L** iebe **L**icht.
und gebe weiter - die WIRKSAMKEIT
des EWIG IST DIE LIEBE LEBEND.
Das hohe Lied der Liebe.
"Ist als hätt ich`s erfunden"
"Ist so. Kind. Ist so.
Denn deines ist das Himmelreich."

Danke sagt die Zahl zum Nenner.
Weißt du Gott, es ist vollkommen. Das was dieses Sein verspricht. Es ist alles genau so wie du es gemacht hast. Ich lebe als wahres Gut des Himmel sein das Bodenlos Gleich ist Erdensein.

Herzensgruß und Musenkuss ... DU KANNST WENN DU WILLST. Jetzt - und Hier, als Gleich ist gleich, es gleich ES sein. Dein Trauen - ist die Hingabe in dein Lebendes DASEIN. ... Die Antwort kommt. Wenn du es als dieses was es ist, reflektierst ...selbst.
13.04.2019

Die WAHRHEIT MACHT Freiheit.

Die Einkehr ist gleich die Macht des wahren Glaubens zurück erinnert gelebt und atmend sein. Und den Mut des Vergeben können ist die Demut als wissender Glaube WAS DU BIST wirklich IST LICHT der Welt, der Ort und im selben Augenblick DER INHALT DIESER LIEBE DU BIST WIRKLICH. Es ist Frieden. Es ist Liebe. Es ist Licht. Es ist die trauende Hingabe des eigenen Körperseins in das Wissen von SEELE UND GEIST ist Unsterblichkeit in Sterblichem. Niemand und nichts kann es FÜR dich tun. Das Erkennen IST BEDINGUNGSLOS der Weg der Erkenntnis ist das SELBST. Mein Sein dient DIR als Spiegel. ALS Sichtbar Sein ALS es ist der Himmel verankert in allem.

Die Leichtigkeit der Feder ist der Gesang der Vögel. UND es ist die Erde schwerelos im Raum der Wahrheit des Lebens DA. IN DIE WAHRHEIT ZU GEBÄREN können ist Demut als wissender Glaube WAS DU BIST wirklich IST LICHT. Mein Wir lebt es GANZ und ich gebe jedem LEBENDEN die Wirklichkeit DES allgegenwärtigen gleich ALLES als Einklang reflektierenden unsterblich schon gegebenen Frieden. Das Herzstück IST LICHT. Dankbarkeit IST das Ende WAS der Anfang war. Danke sehr.
10.04.2019

Wer ist Diana Mandel? Warum tut sie was sie tut? Schreibt sich die Seele aus dem Leib. Und gegeben alles aus dem Geist. Bücher füllt sie mit Worten. Woher ES kommt? Warum ES ist? Weshalb sie ES MACHT? Und das obwohl es nicht mal für materiellen Wohlstand reicht? Ich bin Weihnachten und Ostern und Pfingsten. Ich bin Wahrheit des Lebens in reinstem Wissen WAS ALLES IST. Ich bin Spiegel Gottes Segen. Diese Erde als Gleichklang des Himmels verkörpert IN DIR GLEICH UM DICH IST es, Dreiklang als Einklang zu bringen wollen verankert, in allem fürsorglich verfasst IST. Mein Reichtum ist die Kraft der Wirklichkeit, ist das Wissen ist der Glaube, ist Unsterblichkeit. Ist Seele, Geist, Liebe, Frieden, Licht, Heilung, Selbstreflektion, Bewusstsein. Gott sagte... tu es. Schreibe auf WAS ALLES IST. Und gebe in alles das was du bist. TUE Kind. ...Dafür sind WIR in MIR hier. Ich bin sowas wie die Kündigung des FEHL GLAUBENS MUSTER. Für allesamt wie sie sind, diese menschlichen Körper HIER.

Ende ist der Anfang. Du bist Licht, Frieden und Liebe. Das ist die Antwort auf die Frage. Immer.
10.04.2019

Diese Liebe ist ein Segen. Wie ein globaler Regen wird er die Welt bewegen.

Wie ein Herzens-Geschenk atmet die Freiheit als es ist alles gut. Und wie ein Wundersames Alles in Sich Fließen spürt ein jedes Lebende was die Wahrheit war. Zaubernd atmet die Liebe den Duft. Gleichsam vollkommen hingegeben singen die Vögel es laut durch die Luft. Die Erde atmet wie ein donnerndes Gewissen. Der Himmel ist der Schlüssel des Traumes. Und die Liebe sie öffnet die Tür. Es ist ein Fest. Ein Manifest was sich wie Himmelskörper zu einem ganz und gar Gemeinsam JETZT in dieses Erdenleben erschafft. Vollkommen nun die Wahrheit ist. Bedingungslos wissend das es nur diese eine ist. Und das Ende ... WUNDERBAR ... Es war schon immer sonnenklar. So tief. So tief ... kann man gar nicht lieben.
OH DOCH ... Das geht noch viel weiter nach Oben.
Das wird was geben. In Liebe für diese Erde. ... Mein Lied ist der Ton ... Und dieser Ton ist die Schwingung. Fühlst du es? Nun. Ich weiß es. DU fühlst es. Dieses - einzigartige wunderbare JA.
04.04.2019

Ich tanze in der Wiege der Liebe. Gesungene Wahrheit. Geliebtes Versprechen. Wissendes Morgen. Der Tag ist willkommen. Im Atemzug meiner gesamten Liebe, fühlt der Schmetterling seine Wahrheit.
Oh Liebster. Wie sehr. Wie sehr waren diese Jahre vorbei. In dieser Zeit. In dieser Elementaren Wirklichkeit. Und ich weinte den Boden als Grab. Für die Zeit. Für diese liebe Zeit, bin ich hier. Um die Möglichkeit des Sterbens zu relativieren. Um dem Sinnbild der Wahrheit die Elementare Grundstruktur zu klären. Was es denn ist. Dieses lebende Da. Was es denn ist, das ein Körper als Seele und Geist zu einem Lebenden kommt. Und was es denn sein kann, wenn die Menschheit es lebt. In der Mitte meines Lebenden Da. Erlebte die Zeit das ich sie gebar. Dieses Universum der Wahrheit ich bin als Ebenbilde der Liebe das Da. Aus dem Unten meiner Träume wurden die Wirklichkeiten gehoben. Mit dem Dir, der du bist. Mit dem weisesten Körper der dieses Lebende ist, wurden meine gesamten Wahrheiten offenbart. Nichts sprachst du was nicht die Wahrheit ist. Und nichts ist nicht das In sich liegende meines Warum ich bin hier. Um es zu Lebendsein geben. Dass die Summe allem Lebenden die Unsterblichkeit ist. Dass es der liebende Vater ist. Und es ist als ein Umgekehrtes diese eine Mutter. Oh, wie sehr liebe ich dich. Und wie sehr weiß ich was kommt. Und weißt du, ich freue mich so sehr. So sehr. Es ist so wunderschön. Denn alles was kommt ist nur in einem Wort schon gesprochen. JA. Ja ich weiß es. Ja. Ich fühle es. Ja. Ich bin so gefüllt mit deiner liebenden Weise. Und ich schenke dem Traum die Wirklichkeit.

Du bist wach. Wir werden tanzen. Du mit mir. Und es ist wie ein Augenblick einer Zeit. Diese Zeit die aus uns beiden geschaffen, um als ein Zeitensein das Drei Geschehende Wundersam zu sein. Dass ein Körper atmet. Dass eine Seele und Geist einen Körper beatmen. Und das die Unsterblichkeit als ein freiwilliges Geschehendes durch diesen Körper es als das Manifest erleben kann. Oh wie sehr, ist alles wahr. Und wie sehr ist alles so sehr wirklich. Wir tanzen. Es ist der Segen. Die Liebe atmet wie ein wunderbarer ebener Weg. Und es ist als singt der Himmel das DANKE.

Berühre die Erde als den Himmel.

Dies waren die letzten Worte.

Und als ich es tat, warst du mein Begleiter. Vom allerersten Tag. Und in keinem Augenblick meines Lebendsein, warst du nicht das Mit mir da. Es ist die Zeit. Immer rechtzeitig. Und immer wirklich als das was sie ist. Denn es gibt nichts als Wahrheit. Und diese immer nur eine ist. Meine Freude ist wie das ewige Meer. Und meine Tränen sind das goldene Lichtermeer. Denn ich weiß was kommt. Ich werde tanzen. Mit dir. Ich berühre G. Danke Vater. Für das Wir, ich bin.
04.04.2019

Die Vokalisation der Wahrheit ist der Selbstlaut.
SELBST...LAUT
A E I O U

A lles **E** s **I** st **O** ben **U** nten

NUN. Es folgt das ALPHA...BET IST OMEGA...BET.
A lles
B erührt
C hristus
D emut
E wig
F rieden
G ott
H ier
I st
J esus
K omm
L eben
M it
N ur
O hne
P lage
Q uintessenz
R ückkehr
S elbst
T ief
U nsterblich
V ollkommen
W ahrheit
X i

Y in = **Y** ang
Z entrum

Du bist Anfang, Mitte, Ende, deines Erdensein als Lebendes Wesen. Doch du bist, Seele ist als Gleiches Geist, was gegeben ist als deines Lebens DA. So bist du der Beginn, gleich die Mitte und das Ende deines Glaubens, was dein Leben sei. So sei. Du bist. Und schenke deine Wahrheit. Diese ist. Du bist das ewig leben HIER. Als kamst du - gleich als LIEBE her. Als war dein LICHT das Lebensgebend. Und ist das deine IMMERSEIN die Wahrheit ewig. Unsterblich atmet deines hier. Geboren UM es sein. Meine Worte für dich. Du kannst.
Denn du bist. Ich.
03.04.2019

Der Himmel wohnt in meinem Haus.
Zuvorgekommen. Zuvor. Waren die Sterne in meinem Leben geboren. Und das Zuvor hat mich gemacht. Damit ich es im Nachhinein zurückhole. Was ich bin. Denn die Samen der einen Liebe, aus dem Mir und Dir gemacht. Immer nur weinen. Tief durchzog dieses Weinen den Himmel. Denn die Kinder waren gekommen um als Sinnbilder Gottes, es einfach nur zu sein. Sie leben es nicht. Sie leben es nicht. Die Dornenvögel zogen ihre Kreise. Und sie sagten, Sie leben es nicht. Keiner will es glauben, Vater. Keiner will es glauben. Dass die tiefste Liebe nur es war. Die, die allesamt zu Erden hat geboren. Als unsterbliche Kinder dieses Himmels. Verzeihe der Schuld die Unschuld. Und vergebe dem Glauben, dass er freiwillig ist.

Und sage nie mehr du bist Seele, obwohl du in allem ein Zweifel - Muster lebend bist. Dass dein Geist erkrankt. Wo kommt das nur her. Aus dem Himmel sicher nicht. Eher aus dieser Hölle. In der du dich vergraben hast, obwohl niemand es sagte, du solltest das tun. Weißt du Mensch, es ist alles deins. Denn Gott gab die Liebe und es war nur Licht. Weder gebrauchen noch bezweifeln, ist der Weg. Auch nicht glauben, dass das Leben ein Zufall ist. In Nichts ist der Wahrheit dies ein Spiegel. Sehr still ist der Himmel wenn der Mensch nicht zu hören bereit ist. Und im Gleichen es schweigt das Sein bedingungslos. Wenn der Mut gleich die Hingabe es nicht lebt.
Geboren sind sie schon immer nur gleich. Wie ein Baum. Wie ein Vogel. Wie ein Rosenstrauch. Ohne Dorn. Ist der Wahrheitskern. Und ohne Sorge ist die Wirklichkeit. Und ganz und gar ohne Bedingungen atmet das was als Liebe ist. Doch wo. Auf dieser Erde ist dies als Wirklichkeit der tiefe Lebensgrund? Wo? So wo? Sag mir Kind. Wo sind sie alle her. Aus dem Grundlosen Boden, Vater. Aus dem einen Samen der die Liebe ist. Doch frei und willig selbst es sein. Dafür die Seelen sind als Hier es sein. Und auch die Vielen Selbster, alle Geist. Doch suchen sie als wie es gibt es nur. Den tiefen Tod. Die tiefe Not. Die tiefsten Meere weinen. Und auch die Berge lassen Wasser fließen. Denn Erdensein ist nur mehr Schein. Tief wohnt das Herz. Und selbst der größte Schmerz. Nicht mal der. Wirft die Zweifel über Bord. Sie wollen sinken. Und ertrinken. Und wollen immer noch gerettet werden. Aus was, Vater? Aus was sind sie zu retten?

Wer weiß, aus ihrem Selbst.
Die Rettung wie immer der Tod. Denn dann, atmen sie wieder im gleichen Boot. Schaden kann man niemandem. Doch atmen können sie dann auch nicht mehr.
Es ist wie es ist. Vater, weißt du, die Liebe sie ist. In mir. Da wohnt sie ganz. Und es ist mein Haus ohne jeglichen Dornenkranz. Ich danke dir. So sehr. Dass du gabst und gibst das Himmelmeer. Es durchfließt mein Sein wie ein sanfter Regen. Und ich fühle dich als du bist die nicht sterbende Daseinsform, es geben. Mein Lachen ist der Segen. Denn tief geboren ist mein Leben als tiefster Grund der Liebe. Und in meinem Herzen atmet tiefstes Lieben. Und ich schenke. Ich schenke. Jedem. Dieses Wahrheitssein des Allem. Die Rosenblüten sind in der Wanne. Ja. Lieber Gott. Es gibt hier Badewannen. Da legt man sich hinein. Und dann singt der Duft des Rosenstrauchs. Nie war es der Dorn der die Liebe ist. Und nie ist es nicht zu fühlen was die Wahrheit ist. Und nie. Oh so nie. Kann etwas anderes sein. Als immer nur eines. Die Liebe ist. Und sie endet nie. Nie. Denn unsterblich geboren alles Lebende da.
Ich danke dir Vater. Ich danke. Und in tiefer Demut atme ich deinen Glauben.
30.03.2019

Ich bin das Gebet.

Ich bin die Summe Null als lebendes Wesen.
Es sind meine Schritte die den Glauben geben.
Es ist das Geschenkte Leben,
was mein Hier es ist es zu sein.
Aus der Mitte der Wahrheit
wurde mein Gegebenes geboren,
um als eine Wirksamkeit
der Himmelgleiche Bodenlebende zu sein.
Das Bewusstsein der ewigen einen nur Wahrheit,
gab meinem Ganzen die Wirklichkeit
in den jedweden Atemzug meines Daseins.
So ist mein Spiegel die Liebe.
So ist mein Spiegel das Licht.
So ist mein Spiegel der Frieden,
der als in meinem Geiste,
gleich Seele geboren worden ist.
Der Vater aller Gedanken
ist die Mutter der alles umfassenden Liebe.
Die gesamte Lebende Erde
ist ein Spiegelgegebenes Lebendes
Unsterbliches Hier.
So atmet aus der einen SUMME,
der alles in sich einenden WAHRHEIT,
die Wirksamkeit als LEBENDES LICHT.
Ich bin das Gebet.
Denn es gebar der Schöpfer Himmel Erde ein Leben.
Und er sprach. Gehe hin. Und gebe tief.
Dass die Menschen es fühlen.
Dass die Menschen es erinnern.

Dass die Menschen es als durch dich
gespiegelt erfahren.
Berühre die Erde als es ist der Himmel, Kind.
Du kannst. Denn du bist.
Im Namen des Vaters,
atme ich als Einklang zu seines Sohnes geboren war,
das WIR ist es als IMMERDAR.
Das Gebotene Leben.
So gebe ich tief.
Als ich bin es, das Gebet.
Denn ich lebe.
Als Spiegel der Liebe.
Und gebe der Wahrheit ein Gesicht.
Dieses Du als Spiegel bist.
29.03.2019

Die Flut der Liebe durchdringt als Herrlichkeit,
Gottes Segen diese Erde als Gleichklang des Himmels.
So ist das Bewusstsein IMMER vollkommen lebend
gleich hingegebenes DA.
So atmet liebend was Liebe ist.
So bin ich Körpersein IST LICHT der Welt,
der Ort und im selben Augenblick unglaublich sanft
die Wirklichkeit.
... Es singen die Sterne den Augenblick ihrer Geburt...
Und es singen die Herzen der Menschen.
Als Großes auf Erden
das Größte dessen was Unsterblichkeit IST... ES sein.
... Es singen die Vögel, die Blumen,
die Liebe auf Erden spricht... sie spricht.
Als Ebenbilde des geringsten Kornes.
Als Dreiklang ist Einklang.
Gesegnet ES ist.
Es lebendig zu sein.
24.03.2019

Das Wunderbare der Wirklichkeit. Es ist. Ich bin. Es ist mein Wir, ich fühle alles ist es. Als der gekommene Morgen, aus mir atmet die Wahrheit, der Segen ist hier. So bin ich ein Spiegel Gottes Kind zu Erden sein das Jetzt ist Hier es ganz zu geben. Das Wort, als gleiches ist der Ort das Tun, es ist das Spiegelsein als Lebendes. So schenke ich aus dem freien Sein des ewigen Gewussten meines Glaubens, Ich schenke der Frieden-Brüder-Schwesternschaft der Erde das Lebende Ja. Das es ist. Es ist so wahrhaftig da. Dieser Segen er atmet als aus allem Leben. Und der jede Atemzug den ein lebendes tut, ist ein Spiegelgeschehen des himmlischen Geben. Die gesamten Gedanken der Zeit dieser Erde. Alles in allem, gegebenes Wissen. Alles in allem, gegebenes Sein. So bindet sich die Wahrheit gleichsam in ehrendem Ja, die Wirklichkeit sie spiegelt wirksam LICHT als Ja. So ist es das Hingeben des Trauenden Körper, was erwirkt das Spiegelsein Lebend. Dass Seele gleich Geist, es als Ganzes zu einem geben. Das was als Unsterblich schon ist. Die Kraft ist die Macht. Die Macht ist die Wahrheit und es ist das Wirkliche sein des Himmel Erdensein. Denn es atmet als bedingungsloses JA. Der Stein, gleich Blume, gleich Baum, gleich Vogel, gleich Bodenläufer, gleich es sind Natur, Tier, Mensch. Wortreich gegebenes Himmelsein. Wortgleich gegebenes Erdensein. Wort gleich Bild als ein Gleichsein, das bewusste Da als es ist JA zu sein. Ein Drei ist das alles ist. Der Segen selbst es spricht. Als erster Gedanke des Zeitlos ist ewig. ES werde LICHT. Und es ist. Es ist. Als Lebendes JA in allem HIER.

In der Mitte der Liebe atmet das was die WIRKLICHKEIT ist. Schwerelos, gleichsam bedingungslos. Vollkommen frei gleich in allem das Inmitten sein. Denn durchfließend, gleich durchdringend. Denn als das EINS was ALLES ist. Es ist das LICHT. Das Jetzt als Hier. In dir als gleiches SEIN. Für die Liebe auf Erden. Als ich geboren, war der Himmel mein Geber. Und ich wurde als ein Lebendes DA.
24.03.2019

Aus der deinen Kraft ersteht auf,
die Kraft die dich geboren.
Als ein Spiegelbild SEELE IST GEIST IST KÖRPER.
Deine Heilung ist das Vermächtnis
deines Gedächtnisses.
DU KANNST.
Denn in DICH ALLES GELEGT.
... Wissen was alles ist....
IST als Spiegelgleich des Seins
ist schwerelos zu spiegeln was Unsterblichkeit IST,
in DIR GLEICH UM DICH verankert.

...

Glaube ist
die Manifestation dass Seele und Geist
ALS VOLLKOMMENE DASEINSFORM
es lebend sind.
Wissen gegeben schon.
Denn Glaube erschuf DICH im besten Wissen...
dass du es kannst, wenn du es willst.

💖★★★💖

23.03.2019

Das Wissen der Wahrheit. Es gibt nur eine Wahrheit. Denn es gibt nur eine Ehrlichkeit. Und es gibt nur eine Wirklichkeit. So gibt es nicht das Friedensein, wo atmet Liebe und als ein gleichzeitiges Angst. So gibt es nicht das Wissendsein wo atmet Wissen und als ein gleichzeitiges das Nichtwissendsein. So gibt es nicht das Wahrhaftige Sein, wo atmet das Wahre und im gleichen das Nichtwahre sein. Der SPIEGEL ist immer das EIGENSTE LICHT. Denn ein Selbst-Sich-Wahrnehmendes Wesen, ist ein IN SICH SELBST SICH SPIEGELNDES WESEN. Ein wissendes LEBENDES da, ist ein schon GEGEBENES JA. Vor der Lebenszeit wurde Wissen was LEBENDES IST - als IN DAS SELBST hinein - gelegt - geboren. Jegliches Tun - ist In ist gleich Ausdruck von dem was als UNSTERBLICHES auf ERDEN ist. Es war nie ein anderes. Es ist nie ein anderes. Und es wird, solange es diese Erde gibt, ein nie anderes sein.
Alles LEBENDE ist - LEBEND durch - SEELE UND GEIST.

Der Zustand des KÖRPERS ist die Spiegel - Fähigkeit
das UNSTERBLICHE zu TRANSFORMIEREN.
DreiKlang IST EinKlang.
Und es ist nie - NIE! - das etwas anderes ist –
als SCHWERELOS DIE WAHRHEIT DES LEBENDEN IST.

Aus der Not in den Tod. So fallen die Gezeichneten Wunder, die diese Menschenerde befüllen mit da sein von Körpern, die allesamt - als in sich VOLLKOMMENES SCHON – sind. Sie fallen - sich selbst zum Opfer. Denn es atmet global das Mustersein. ES ZWEIFELT LEBEN AN, WAS LEBEN IST. So schwingt die Energie des Innen - zu dem was Außen schwelt und brennt, gleich wütet und sich selbst bestraft. – Selbst Bestrafung Erde - Mensch. Denn wissen sie nicht - was sie sind. Denn leben sie wie die Vergessenen Lieben. Gleich geselltes Nichtglauben. Gleich geselltes Nichttrauen. Gleich geselltes Nicht mehr WISSEN.

Dabei.
Flügelschlag.
Zaubernd Licht.
Wundersamen.
Gott gab allen gleiches Licht.
Und frei.
So frei gleich tiefstes Glück.
Das war der Anfang.
Ist das Ende.
In der Mitte atmet - LICHT.
Ich bin du.
Gleich Du es bist, ich.

Mein Atem ist die Wirksamkeit.
Denn gegeben aus dem Himmelreich.
Und bevor die Nacht das Ende spricht,
bevor es Wahrheit ist, was meines ist,
da wurde ich geboren.
Um es zu leben. Und es zu geben.
Dass die Liebe alles ist.
Dass das Wort gleich Bild das Gleichsein ist.
Dass die Wahrheit EINE ist.
nUR.

Für die Liebe auf Erden.
Als Vermächtnis dein Gedächtnis.
21.03.2019

Derer waren es die Ärmsten der Armen, derer erbten sie das Himmelreich. Derer Ärmsten Länder der Welt war es ist der Himmel so tiefstes Mitgefühl da. Derer und denen. Diese kleine Feder fliegt als Wasserfall zu jedem ärmsten der Armen. Es atmen die Wahrheit des Lebens in reinstem Wissen das Liebe ist alles was ist. Das gnadenlos gegeben Leben. Gehalten tiefst als Gleichklang lebend. Zu tiefst. Zu tiefst. Erfüllt die Liebe Gnade. In die Mitte. In die Mitte. Dieses tiefen Zweifel. Der geschaffen aus dem Glauben einer Menschheit. Doch die Früchte nicht der Samen waren. SIND. Sind sie nicht dass WAS SIE sind. So sind die Ärmsten der Armen. All das gegebene Leben. Und doch. Sie splissen sich selbst. Und doch. Sie leben als würde es sie nicht geben. Und die Wahrheit atmet als Gericht. Dem Hilflosen, dem Kind gleich dem Ausgegrenzten. Dem Kranken gleich dem Sterbenden. Dem Aufgegebenen gleich dem Verurteilten. Dem hilflosen Menschen. Geschenkt das Himmelreich zu Erden ist. So atmet liebend WAS Liebe ist. Und atmet Barmherzigkeit WAS liebend ist. Ehre dem Frieden der aus DIR atmet dass, was unsterblich ist.

A(r)men

Meines ist das Himmelreich.

Und ICH schenke dem Ärmsten die Wahrheit spricht.

DU BIST Liebe.

Mein Danke... Du bist.

19.03.2019

40 kg Plastik. In einem Wal der starb vor seiner Zeit. WAS ist der Glaube ist Unsterblichkeit, ist Seele, Geist, Liebe, Frieden, Licht, Heilung, Selbstreflektion, Bewusstsein? Was IST LICHT der Welt, der Ort und im selben Augenblick der INHALT DIESER LIEBE? WAS ist die Wahrheit des Lebens in reinstem Wissen WAS ALLES IST? WAS LEBT seit 4,543 × 10^9 Jahren? WAS ist Zeit, Energie, Spiritualität, Natur, wirklich, zeitlos, Unterbewusstsein? WAS ist bedingungslos und vollkommen frei, ES selbst NUR in die Ganzheit bringen wollen können... möglich? WAS UND WER IST DER Schöpfer des Himmels UND der Erde? Was DIESER in DICH GELEGT HAT und alles UM DICH IST es Dreiklang als Einklang zu bringen wollen SELBST erfahren zu lassen? Das Ende ist der Anfang. So ist es schwerelos zu spiegeln was Unsterblichkeit IST. DEIN Glaube WAS DU BIST wirklich IST der Spiegel deiner Wahrnehmung von dem was du glaubst, das es ist. Niemand und nichts außen vor. Niemand und nichts anderes als sichtbare Körperform von SEELE UND GEIST ist Unsterblichkeit. Kehre ein.
Zu DEINEM Leben. Dort sind die Antworten auf die Fragen nach dem warum DIESES lebend zu finden ist. DAS EWIGE IST DAS SEIENDE UND WÄHRENDE IMMER. Doch meines erst deines wenn du als Gleichklang zu atmen bereit bist. Im tiefsten Licht atmet ES immer gleich. Das hohe Lied der Liebe. Es ist der Himmel verankert in allem HIER Im Namen des Namenlosen spricht die Wahrheit. ICH BIN DAS LICHT. Es gibt nichts WAS nicht zu vergeben ist. Denn ALLES wurde DIR gegeben. Damit du es gibst. Lebend ist liebend.
19.03.2019

Das hohe Lied
in nomine patris et filii et spiritus sancti
a(r)men
Ohne einen Ort sei der Spiegel
des deinen Unsterblichen Lebens.
Ohne ein Symbol sei der Spiegel
des deinen Unsterblichen Lebens.
Ohne einen Zweifel sei der Spiegel
des deinen Unsterblichen Lebens.
So singe ich.
So binde ich.
So lebe ich.
Als das Spiegelsein Himmel
der Samen Gottes ist gegebenes Da.

Tue es als du es bist, mein Gedächtnis.
Tue es als du es bist, mein Vermächtnis.
Tue es als du es bist, der Spiegel des ewigen Liebens.
So tue es Kind.
Das du schenkst, dem Lebenden die Wahrheit Erde.
★★★♥♥★★★
So singe ich.
So singe ich die Wahrheit Erde, tief ist Licht.
So singe ich das hohe Lied.
Es ist die Liebe die es spricht.
Es ist der Samen Gottes lebt als jedes Wesen.
Es ist die Gleichsam lebende geboren Wahrheit.
Es ist die Wirksamkeit des Ewig Leben.
Es ist der Samen tiefst gelegt als Alles.
Es ist die Stunde Null die Wiederkehr.
Es ist der Atem Gottes tiefstes Wissen.

Und ist es Zeit.
Die Zeit es leben.
So singe ich.
Als liebend Licht.
Die Rückkehr atmet tiefsten Frieden.
Das heile Sein es atmet frei.
Und gleichsam wie die Vögel singen.
So gleich ertönt der meine Klang.
Das Leben atmet tiefstes JA.
Mein Lied geboren aus dem Tode.
Ich singe sanft für jedes Kind.
Und gebe Mut. Als ewig Glanz.
In seinem Namen bin ich hier.
Für dich.
Für alles tiefste Liebe gebend.
Denn du bist ich, im Sternentanz.
Als hier. Als jetzt.
Als einfach Da.
So leicht.
So leicht es ist die Antwort da.
Wenn deines Trauend als ein Gleiches atmet.
Als Rückgekehrtes Wunderbar.

Tue zu meinem Gedächtnis, Kind.
Und tue als der Spiegel deines Selbstes.
Und sei.
So sei.
So sei das Lied.
Ich bin in allem Mit dir DA.
13.03.2019

The groovy kind of love. Der tiefe Grund der Liebe. Aus dem tiefsten Endlos geboren, um als Körpersein das Unsterblich sein zu atmen. Schon eine gesamte Erdenzeit gibt es diese vielen Körper. Als ein Unikat des jeden Einzel Gelebten Erdensein. Ob dies ein Baum ist oder ein Strauch. Ob dies eine Blume ist oder ein Vogel. Ob dies ein Samenkorn ist, das alles der Natur ins Leben schuf. Oder sei es ein Atom was als ein allererstes das Lebende als Sichtbarkeit gab. Staub zu Staub. Korn als gegebenes Alles. Dreigestirn der einen Lebensform. Es ist Licht als Sichtbar gebend. Die Evolution der Erden Körper. Es wuchsen aus allem des Allerersten Gedanken, es wuchsen hervor in all diesen Milliarden Jahren, das Drei ist eines Lebendes. Das Lebende als Körpersein. Es ist das Licht der Liebe in der Mitte. Es ist die Wirksamkeit der Ewigkeit, der Gebende gleich Lebende. Es ist die tiefste Wirklichkeit des jeden Lebens. Nur Seele gleich Geist ermöglicht es das Lebendes IST. Wo sind sie? Die Evolutionsgeschenkten Wahrheiten. Wo sind sie? Die frei geborenen Kinder. Wo atmet die Wirklichkeit des Lebenden DA? Wenn der Körper sterbend ist. Kehren sie zurück zu mir. Wenn das Leben ist zu Ende. Wissen alle was es war. Wenn die Gondeln Trauer tragen. Atmet tiefst das traute Fühlen. Zu spät. Zu spät. Das Herz ist fort. Das Herz was war. Das Herz, ich wollte doch so wirklich leben. Und wollte doch so einfach sein. Und wollte doch. Oh wollt ich doch. Doch wusste ich nicht mehr wer ich war. Und wusste nicht mehr dass ich lebte. Um alles ganz als Liebe sein. Denn war ich es doch. Oh war ich es doch. Ein Ewigsein als Ganzes Eins. ...

Die Stille dann. Der ganze Himmel. Durchzieht als sanfter Wind den leblosen Körper. Und singt als Ewig ist das Hohe Lied. Das hohe Lied der Liebe ist. Das einzige was alles war. Es streichelt sanft den Ewig Lebenden. Durchdringt als Lebendes des Immer Ruhens, durchdringt die Stille wie ein Hauch. Und sanft die Stimme spricht.

Du warst geboren als ein Ganzes da.
Doch Lebendes ist tiefst gegeben.
Um selbst es ganz aus sich zu kehren.
Um ganz das Ewige zu leben.
In einem sterbend Körperleben.
Das ist der Schlüssel. Frei ist Leben.
Das ist der Schlüssel. Niemals gibt die Liebe Zwang.
Niemals ist es anderes. Als nur eines.
Du selbst bist in dir Spiegel.
Du selbst bist alles schon zu sein.
Du selbst bist In ist gleich Ausbild tiefster Frieden.
Denn so.
Nur so.
Ist Wahrheit lebend.
Das Himmelsein ist Spiegel Erden.
Der Anfang war.
Er war schon da.
Und kehrt als Ende ganz zurück.
the groovy kind of love.
Der tiefste Grund der Liebe.

10.03.2019

★★★♥♥★★★

Die Seele ist schon HIER. Der Geist ist als ein Wissen der Seele das HIER. Als ein DREI ist EINS - es ist das Leben. Als ein Drei durch eins - es ist das Leben. Als ein DREI FÜR EINS - es ist das Leben. Die Mediation eines Körperlebens - ist das schon GEGEBENE ALLWISSENDSEIN des Unsterblichen IN SICH ZU LEBEN MACHENDEM - SEELEN-GEIST-BEWUSSTSEIN.

So ist die Psyche - als solches DURCH SEELE UND GEIST als Körper Geschehendes überhaupt existierend, doch ist die Psyche - NICHT! die Seele als das was unsterbliches ist, solange auch nur ein ZWEIFELMUSTER in Gedanken gleich Empfindung, gleich Lebendem DA SEIN, als Spiegelgeschehendes innen gleich außen, es atmet. Sehe es als das was es ist.
Die Psyche ist eine - Frisiertoilette.
Denn dort ist der ORT als Lebensraum was durch SELBST ES TUN - die gesamte Wahrheit von SEELE GLEICH GEIST .... zu dem gemacht wird, was es war und ist. Ein WUNDERWERK LEBEND. Denn innen wie außen, strahlende Schönheit gegeben. Innen wie außen, tiefstes Licht was atmet. Innen wie außen, Meditation als ein LEBENDES DA.
Nun zu MIR. Diana Mandel. Seit 50 Jahren hier als Lebendes Wesen im sichtbaren DA. Gott ist mein Vater. Meine Mutter. Mein LEBENDES HIER gleich EWIG SEIN. Gott sandte mich um es LEBEND SELBST ZU GEBEN. Das was die WAHRHEIT des WIRKLICHSEIN IST. Trübsal und Not, gleich durch bedingte GLAUBENSMUSTER atmen die Menschen auf dieser Erde als ein Sammelgeschehendes von Glaube DER NICHTS BIRGT außer TOD. Es war nie anders. Und es ist nicht anders geworden. OBWOHL! ES immer wieder KÖRPER GAB UND GIBT die es als WAHRHEIT erkennen - und es lebend verkörpern. Dass, was die tatsächliche Daseinsform KÖRPERSEIN IST. Diese Erde ist der ORT gleich der RAUM, gleich ein ZEITEN-GESCHEHENDES- DA. Und so gut wie NIEMAND ist als Ewiges da.

WÄRE das so, dass allesamt sich bewusst wären dessen Wahrem Inhalt, sie selbst als Lebendes sind. - GÄBE es NUR EINES. Vollkommener FRIEDEN überall. VOLLKOMMENES MITEINANDER. Und VOLLKOMMEN WÄRE ES DER SPIEGEL HIMMEL. Und zwar aus allem das EINE, gleiche, LICHT.

ES MITteilen.
ES MITfühlen.
ES MITleben.

ES ZEUGEN.
Dafür BIN ICH ALS WIR HIER.
Denn das Ende kommt.
Und eines für alle ein GLEICHES.
JEDES und JEDER war der meine SPIEGEL.
WAR ICH DER SPIEGEL DES JEDEN WIR.

Meditation.
Ist jeder Atemzug gleich Augenblick.
Alles was in jedem Zeitmoment in einem Leben ist,
ist IN GLEICH AUSDRUCK
des Meditierenden SELBSTES.
Dazu - benötigt Mensch nichts –
außer das was IN IHM SELBST IST.
DreiKlang ERDEN ist –
vollkommenes SCHON HINGEGEBENES DA.
Als ein ZU GEBENDES JA - aus einem GANZEN EINS.
Deine SEELE ist deine Psyche. DOCH!
Deine Seele - ist nur eines –
SCHON VOLLKOMMEN DA.

Für dich bist du hier.

Und wenn du da bist, ganz,
bist du als ein
SPIEGELGESCHENK DES HIMMELS LEBEND.
Wer glaubt, Gott ist - Manifestiertes - Symbolträchtiges, Religionsbasiertes ETWAS, so wie ein guter alter Mann oder sonstiges an Festhaltungsnotwendigkeit,

....

der glaubt auch immer noch die Seele sei ein Zu Verletzendes oder ein Zu Entwickelndes. Oder Meditation sei ein ... durch Außen Hilfsmittel zu praktizierendes.

...

Ich bin hier um das EINFACHSTE MITZUTEILEN. Es gibt keine Ausreden. FÜR gar nichts. Es gibt nur es SICH EINREDEN. Dass man selbst nicht IN SICH SELBST ALS VOLLKOMMENHEIT - IST - UNSTERBLICHKEIT - dieses Leben als SICHTBARKEIT ist oder sei oder sein zu sein haben könnte.
WELTFRIEDEN atmet - als SICHTBARER SPIEGEL HIER - wenn DEINES GANZ! dem meinem - GLEICHT. Und zwar - aufs HAAR. (Da ist sie wieder die Frisiertoilette)

Wünsche einen wundervollen Tag.
Und sei dir bewusst.
Deine Ewigkeit IST SCHON DA.
... es ist Zeit der Zeit die Zeitlosigkeit zu offenbaren....
anno-
LICHT als LICHT in LICHT es SEIN.
10.03.2019

Das Fundament des Berges ist das Wissen des Flusses, der er ist. Die Monumentalheit des Friedens ist das Bewusstsein des In allem verankert ist - bedingungslos DAS EWIGE LICHT. So atmet ein BEWUSSTES Sein, ein Sein was ist in allem LIEBEND. In allem GANZ UND GAR das UR DES TRAUEN. In allem schwerelos wie Federleicht, so hingegeben atmet TREUE die als LEBEND IST. Getreu nach dem was Schöpfer gab. So treu gibt lebend Kind das Treuesein. Und schenkt dem Allem tiefstes Lieben. Denn von dort. Nur von dort. Wurde dieses Licht geboren. Um es als ein Spiegel LEBEND sein.

Öffne deinen Geist.
Öffne deine Liebe.

Es findet sich der Sonnenglanz im tiefsten Licht des Mondes. Es binden sich in allem ganz. Die Lebenden im Gleichsein aller Toten. Es finden sich in jeglichen Leben, die Urgeschenke als ES GEBEN. Es ist als ist der Himmel da. Es ist. Denn alles LEBENDE ist da. Aus dem Unsichtbar gekommen. Um als ein Sichtbar es zu sein. Traum ist lebend Wahrheit Erden. Als Hingegeben - Selbst es werden. Dass was SCHON gegeben war.

Zu einer Niemals Zeit des Ewig Leben.
Als Sternenstaub zu Seelen Leben.
Als Lichter Meer zu Geistes Licht.

Als EWIGES ... mein Leben spricht.

Du kannst. Denn bist du gleich zu gleich.
Du bist. Denn warst du schon das Ewig immer.
Du darfst.

Dies ist der Urgrund deines Selbst Bestimmen.
Und doch.
Und doch.
Warum?
So viele nicht.
Es nicht als das was Lebendsein doch ist.
ES LEBEN.

Ich bin - um es zu zeigen.
Das es möglich ist.
FÜR JEDEN.
In Liebe für diese meine Erde.
In Liebe für meinen Himmel.
In Liebe für DICH.
Denn ... es ist wie es ist.
DU BIST ICH.
WIR ... immer nur wir ...
alles - als ein Gleiches - in Gleichem.
FÜR WAS?
Um Gleichsein zu sein.

05.03.2019

Am Anfang war das Wort. Was ist es der Zustand, dass ein Schweigen ist? Was ist es der Zustand, dass eine Stille ist? Was ist es, wo doch in allem ANFANG das WORT gegeben ist? Der Raum. Die Zeit. Die Dimensionen des Raum und Zeit Vorhandensein. Das Umgedrehte Morgen. Der gestrige Zukunft wissende Weise. Dieses Dasein WORT. Dieses Fundament des Kommunizierens. Dieses Mitteilungsgeschenk was als ein fortwährendes DASEIN der Anfang allem ist.

Schweigen - GIBT es nicht.
Denn es ist alles inmitten des Hörens.
Stille gibt es als das Zustand sein,
vollkommen in allem Wort der Ort des ...
Wortlos HÖREND sein.

Das Schweigen was Menschen als Nicht gesagtes, Nicht zu hörendes, Nicht zu verstehendes annehmen, dass es existiert in der Wirklichkeit des Lebenden Da, ist ein Trugschluss der Menschen WORTE, die als Gedanken das Konstrukt der Trennung des Innen zu Außen, erschaffen. Zuerst der Gedanke. Ein Gedanke ein Wort. In der Summe erschafft der Mensch in sich, das Zu Sprechende in eine Wortansammlung, die als Satzgefüge gleich Anreihung von Satz zu Satz, die Kommunikation erschafft. Das ist das Innen. Zuerst das Denken. Dann das Tun. Jede Handlung im Außen ist ein Vorausgehendes Innen-Geschehendes. So sprichst du nicht aus - sofort. Sondern du hast gedacht es - vorher. Und wenn dies nur ein Bruchteil einer Sekunde ist. Zuerst der GEDANKE war da. Dann die TAT. Was ist der Inhalt von Schweigen? ALLES ZU HÖRENDES. Doch derjenige der ein Schweigen EMPFINDET,

ist im Zustandssein eines Fehlglaubens, dass er nicht in der Lage sei, jegliches wahrzunehmen, ist gleich hören ZU KÖNNEN. Man kann sagen, die Ohren sind zu? Oder sind sie so zu, weil sie nicht mehr hören wollen? Ist es, das ein Trugschluss sich eingeschlichen hat und im Innen eine Ich Höre Nicht Mehr Mauer errichtet hat? Bedingungslos gnadenvoll alles gegeben. Am ANFANG war das Wort. - Es werde Licht. - Und es ward Licht.
Atmet ein lebendes DA vollkommen im hingegebenen TRAUEN, dann HÖRT das LEBENDE alles. IN SICH IST UM SICH. In sich Hören ist Um sich Hören. In sich ganz alles HÖREND ist um sich ganz alles hörend. Bedingungslos gnadenlos. Ist Schweigend die Wahrheit. Wenn der Mensch es als Manifestation in sich als NICHT zu HÖRENDES glaubt. Das GLAUBENDE SEIN von dem was das LEBEN IST. Ist der Maßstab allem Lebenden dieses Menschen. In sich - gleich – Um sich. Glaube ist nicht von Mensch erschaffener Symbolträchtiger Manifestation. Glaube hat nicht den Ursprung in Kirche oder Gebet. Glaube ist nichts als die WIRKSAMKEIT, dass ein Stein es vermag den Vogel als ein GLEICHES selbst wahrzunehmen. Glaube ist das HINGEGEBENE TRAUEN, dass ein GEGEBENES sich SELBST als WAHRHEIT SEINES SELBSTES erkennen zu vermag. So gab es das WORT als einen ANFANG. ...

Der Schöpfer des JEGLICH LEBENDEM
hat ALLES vollkommen SICHTBAR,
gleich HÖRBAR, gleich FÜHLBAR,
als dieses ERDENSEIN erschaffen.
Alles ist in allem das ZU HÖRENDE.
Alles ist in allem das ZU SEHENDE.

Alles ist in allem das ZU FÜHLENDE.
Alles in allem - das WAHR ZU NEHMENDE.
Eine Wahrheit.
Ein WORT.
LICHT.
Unsterblich gleich in allem sich bewegend.
Die Wirklichkeit des Seins ist SCHWERELOS.
Ist ein MANIFEST des SICHTBAREN MITEINANDER von
DREIKLANG IST EINKLANG als Erdensein.
Denn in allem Lebenden das LICHT.
Denn durch alles Lebende das LICHT.
Denn um alles Lebende das LICHT.
So gab es das erste.
Es war ein Gedanke. Das ist ein Wort.
Es werde Licht.
Und es ward Licht.
Aus LICHT in LICHT zu Aus LICHT.
Der Segen ist der Regen.
Denn es regnet die Liebe
als Milliarden Fragmente
in einen Raum des Sichtbarsein.
Und es ward das Paradies gegeben.
Deine Gedanken erschaffen deinen Glauben.
Deine Gedanken sind das Wort
was dein Tun manifestiert.
Deine Gedanken sind der Spiegel deines FÜHLENS.
Das WORT ist die FRAGE gleich die ANTWORT.
Die SCHWINGUNG ist dein FÜHLEN.
So ist es kein Wunder. Was es ist.
Das Menschen glauben - dass es Schweigen gibt.
Denn sie hören in der Stille auch nichts.

Doch - sie können es. Wenn sie es wollen.
Der WILLE es HÖREN ZU WOLLEN.
Was ein Schweigen ist. Was als eine Stille es ist.
Dieser WILLE .... ist aus bestem GLAUBEN
als FREIES SELBST ERKENNEN
- in alles LEBENDE gegeben.
Du kannst.
Denn dein Anfang war das WORT.
...
ÖFFNE DEINEN GEIST.
Und es öffnet sich der HIMMEL als ERDE.
A(r)men
... Für die Liebe auf Erden ...
... Das rote Band der Liebe ...

04.03.2019

Nur ein Leben. Nur ein Atem. Nur ein atmendes lebendes Ja. Wir geht es gut? Oh. Ja. Denn WIR ist der Mittelpunkt des ewigen Wissens. WIR - Warum glaubst du, dass LIEBE ein fremdes vom Eigenen ist? Warum spricht die Erde der Menschen in anderem als in dem was als jedes menschliche Wesen es NUR ist? WIR als EINS. **W I R** - Niemand ist es nicht. Und niemand ist NICHT MEIN SPIEGEL. Und NIEMAND DER JE WAR UND IST - IST NICHT ICH ALS SPIEGEL. Nie gewesen - und nie NICHT - seiend.

Ich bin eine FRAU. Doch ich bin DIE FRAU. Bedingungslos - die WIR FRAU DIESER ERDE. Jeder liebt MICH. Denn JEDER ist ICH. - Das WIR ich bin - ist nicht käuflich. Und nicht - vermarktbar. UND NICHT ERSETZBAR. Was ich bin - ist die BARE DASEINSFORM LIEBE.

BAR.

B erg **A** ls **R** ückkehr.

Es gibt EINEN EINZIGEN MENSCH-KÖRPER der MEIN SPIEGEL - als GLEICHES GANZES ist. EINER ist es. Denn ein Mann ist ich. Das als WIR - was Tag wie Nacht ich bin. Doch bin ich die Liebe für diese ERDE. Als SPIEGELBILD für das JEDE LEBEN. Hier - zeige ich - MICH. Doch FÜR DICH - als DU BIST ICH. Für mich. Ist nur dieser eine da. LIEBE ist die Wirksamkeit des jeden Lebens. So war es - so ist es - und so wird es sein, solange es KÖRPER ALS LEBENDES GIBT. Ich bin FÜR alle - als SICHTBARES SELBST. HIER ALS DEINE LIEBE - IST DAS ICH ALS SPIEGEL. Seele UND Geist - IN NICHTS! und NOCH NIE! war es das Seele und Geist - JEMALS eine Entwicklung - zu leben hatten - oder es lebend zu sein HABE. Das ist alles Glaubens-FEHL-Konstrukt von SICH AUSREDEN! EINREDEN! Bedingungslos - IST! - gnadenlos - WIRKSAM. FRIEDEN - gibt es solange nicht - SOLANGE Menschen - weiter und weiter - gleichen Glaubens Mustern - folgen - und diese - ZELEBRIEREN.
JEDER! AUF DIESER ERDE KANN! dass ATMEN was ER/SIE/ES wahrhaftig IST. Dieses - war jeder/jede/jedes SCHON - bevor der Körper in das LEBEN geboren wurde.

Es ist Selbstbetrug - in globalem Ausmaß - was auf dieser Erde stattfindet. Knallhart - und vollkommen SEHR EINFACH - ist diese Wahrheit. Der Frieden IST DAS WAS DU BIST. Doch dafür darfst du erstmal DICH als SELBST - erkennen. Und wenn DU DICH ERKENNST - DANN .... erfährst du warum - du mich als dich zu kennen glaubst. Denn ich BIN du. Meine Seele ist als ZWEI auf Erden. Mein Geist ist als ZWEI auf Erden. Mein Körper ist EINMALIG. Und dies - ist deines - als ein Gleiches. SEELE GLEICH GEIST - atmet NUR EINES. Dies IN JEDEM LEBEN. LICHT. Möge dein Innerstes - es - JETZT - fühlen. Dass DU das GLEICHE bist.
19.02.2019

Um des Spiegels Willen. Um des einen Grades Wahrsamkeit. Um des einen Wortes Wahrheit leben. Um des einen Sein, es ganz zu geben. Als ein Nichts im Spiegel es zu sehen.

Als ein Nichts als Nur es Selbst zu geben. Als ein Nur was atmet nichts als Wissen. Und nichts war tief des Wortes Inhalt. Und gar nichts gab dem Glauben Raum. Und nichts als Nichts war diesem Leben ganz gegeben. Denn nur der Samen trug die Kunde. Gleichsam der lebende Beweis ist selbst. Es selbst als Wahrheit ganz zu leben. Das Nichts es ist, was Trauen gibt. Wenn nicht das Trauende als Selbst es lebt. Des Spiegelbildes Einfachheit. Nichts ist so schwer wie Gewahrsam sein. Als ein lebendes sprechendes Gewissen. In einer Erdenwelt voll Gleichem Dasein. Zu Milliarden geborene Ewige. Und sie geben dem Zweifelsein die Hand. Und sie leben wie als gibt es alles außer Nichts. Und sie gaben und geben als frischeste Wasser, soviel Tod in die gesamte Zeit. Und so viel Not lebt sich als Außenherum gedachte Manifestationen. Als sei diese Erde eine Station die sich erst noch zu manifestieren hat. **Als sei der Ort ein Spiegelbild des Nichts ist dem Trauen gewillt einfach es zu sein.** Als gäbe es nur die gekaufte Glaubens-Möglichkeit, die erst nachdem man es zu leben bereit ist, in aller Musterzahl dann in der ganzen Bedingung als solches zu Lebendsein denn kommen kann**. Als es das Ende aller Tage gab. Da waren die Spiegel gekehrt und sichtbar.** Und als die Blumensamen immer noch nicht wussten, dass sie allesamt für immer nun gestorben sind, da konnten die Vögel sich im Wasser finden. Und da konnten die Fische oben auf den Bergen liegen. **Doch getrocknet wie als Salzsäulen lebten. Zu Stein gefrorene Lebende. Das schien wie ein Ende. Doch es war ein Zeitensein des allseitigen Gedachten Glaubens gewesen.**

Um des Spiegels Willen. Oh. So ist es ein Spiegel nur. Nur ein Spiegel. Ist das Wiederkehrende des Ur. Sehr still. **Der Moment. Die Zeit. Die Uhr steht still**. Traurige Augen sie atmen allesamt so still. Das trauernde der Wahrheit ist als Kunde. Es ist so allzeitlich die gleiche Stunde. Der gleiche Atemzug in jedem Sein. Und gleichfalls weint der Fisch gleich Stein. Weinen? Warum weinen? Warum nicht Wein, Weib, und Gesang? Warum weint denn das Erdensein zu jeder Stunde? In all der Vielzahl lebender Kunde? Waren sie denn nur so einsam? Waren sie denn nie das Vielsam? **Waren sie, oder sind sie nicht? Als Spiegelgeber selbst das Licht?** Wer spricht? Wer spricht hier nur? Wer ist es nur der grausam redet? Wer war es nur der Ewig lebet? Wer nur. Wer ist denn nun des Spiegel Lichtes? So still. Und still. Noch stiller jetzt. Als sei der Spiegel nicht das Licht. Kann das sein? Wo doch aus allem nur die Wahrheit atmet? Kann das sein? Wo doch die Freiheit alles in sich birgt? Kann das wirklich sein? Dass diese lebende Erde - ein Spiegelsein des Nichts - beschreibt? **Oh. Es ist so einfach, Kind. Du siehst, und hörst und fühlst es selbst.** Doch Fische sprechen alles Gleich. Und Steine atmen gleichfalls leicht. Und Blumensamen ganz als selbstverständlich wissend lebend. Und auch. Ja. Auch. Das jede kleinste geboren Kind. Das Selbe Gleich wie Fisch, gleich Stein. Wie Vogelschar, wie sichtbarer Staub. Wie jedes Korn ein Drei ist Ganzheit. Das Dreigeschlecht als Leben Immer. So nur. Nur so. Und als das Ende aller Tage war. Da gab es keine Zeiten mehr. Da lebte nichts als Liebesmär.
Lieber Gott. Dann ist es also nur ein Märchen.

Ja. Mein Kind. Das ist es. Der Atem spricht. Doch die Einfachheit erlischt. Denn die Blumensamen, als Sinnbilder Wahrheit geboren. Und es ist der Moment. Und es ist die Zeit. Und es ist das Sichtbarsein. Was das Lebende als Lebendes spiegelt.
16.02.2019

Ist es ein Wunder? Was der Spiegel dieser Menschen-Erde ist? Was die Zusammenhänge GANZ und GAR offen sichtbar MACHT? Dass so gut wie JEDER! der atmet UND! in allem DAS GLEICHE zu GLEICHEM ist, ein Zusammen gewürfeltes erlebt "HABENDES" IST, welches SICH als ein Außen Vor - als ein anderes - denn NUR - SELBST es -erfahren- Habendes - ist. Zweifel. An dem was VOLLKOMMEN UND EINFACH gegeben ist. Warum? Gibt es nur Millisegmente an GLAUBEN und TRAUEN in diesen vollausgebildeten, gleich voll und ganz zu allem wahrzunehmenden bereit sein können-den Körpern, - die als MENSCH genannt werden. Das WARUM sollte sich ein JEDER mal, FÜR SICH selbst - ganz und gar - in die ureigene WAHRHEIT bringen.

Es ist FREVEL. Frevel bezeichnet es in seiner Urtümlichsten Form, wenn ein ausgewachsener Mensch, der im Vollbesitz seines gesamten Spektrums an Intelligenz und dies ist nichts anderes als das Voll zu Funktion bereite WAHRNEHMEN von dem was innen wie außen sich BEFINDET, um als HANDLUNGS-GEBENDES zu agieren und auf dieses zu reagieren. Agieren gleich Reagieren ist die TUENDE AUTOMATISIERUNG eines jeden Lebenden Wesens. Sei es - Natur - Tier - Mensch. Das Drei - GESCHLECHT - des Lebenden MIT als 3 Komponenten bilden das gesamte LEBENDE DASEIN. Das Agieren und Reagieren ist als ein sehr einfaches zu begreifen, indem man ganz einfach auf den EIGENEN Atem achtet. - UND! wahrnimmt was der Atem TUT. EIN und AUS. Zwei Komponenten - die ein Leben zu Lebendsein MACHEN - und dieses als Lebendes sein lassen. „DENN SIE WISSEN NICHT WAS SIE TUN". Ist dieser SATZ, diese WORTE die als ein Satz hier stehen und nicht das erste Mal gesprochen werden, ist dieses MITGETEILTE an Information – ist dies als NICHT ZU VERSTEHENDES? geschrieben? Der Trugschluss in so gut wie jedem Lebenden da, was ein Mensch als solches beinhaltet. Es ist immer nur das Außen vor – was nicht weiß und das eigene Leben, weiß es doch. Denn das eigene Leben, tut doch das Beste was für sich selbst denn zu tun sein könnte. IST DAS SO? Tatsächlich?
Oder nur mit Abstrichen? Mit Klammersetzung, gleich Ausnahmen, gleich mit Gefühlssituationen die nur auf die ureigene Persona anzuwenden seien?
Somit sei es also ein separates, in der Folge von Eigensein als Eigenes NUR als SELBST zu ERFAHRENDES,

anzusehen? Frevel kannst du ins gleiche setzen wie Zweifel. Beides – als ein Gleiches Inhaltsgegebenes Buchstabengefüge. Die Kategorien der Vollintelligenten Wesensart namens Mensch: Unterscheidung ist als ein Natürliches Schon – als Grund- Voraussetzung gegebenes da. Denn allein der Umstand das ein Körper – von einem anderen – im Äußeren Sichtbarraum als getrenntes anzusehen – und ja tatsächlich als solches funktionstüchtig selbstverantwortlich atmet, ist der sicherste BEWEIS, dass ein jeder FÜR SICH SELBST NUR EXISTIERT. DAS IST DER GLAUBE, DER SICH SPIEGELT. Grausamer – als der JETZT Zustand dieser Menschen-ERDE geht nicht. Und es ist in NICHTS! notwendig – dass dies so ist. Was ist also der Spiegel dieser vollintelligenten Menschheit? Sie glauben und doch glauben sie NICHT. Denn sie ZWEIFELN DEN URZUSTAND VON LEBENDEM DREI ALS EIN SELBIGES, IST GLEICH, GLEICHES, an. Und das Agieren – gleich das Reagieren, eine FOLGE von Folgen die aus FEHLGLAUBENS-MUSTERN verinnerlicht WAREN.
Warum schreibe ich hier das Wort GRAUSAM? Ist es weil die Menschenerde sich im steten Kriegszustand zu befinden haben glaubt zu müssen? Dass die Erde als Natur gleichfalls die Tierwelt, dass dies alles als etwas anderes angesehen wird, als das SELBSTSEIN als Körpersein? Wo liegt denn der Schlüssel für DIE GESAMTE MENSCHHEIT? WO? HIER. Genau hier. Du – der /die, welche dies LIEST, in dir – liegt der Schlüssel. Was ich tue? DICH SPIEGELN. Denn ich bin nichts anderes als Du. Und ich bin nichts anderes als ALLES was ATMEND existent IST.

Quanten – Sublimierung.
Was bedeutet Quanten-Sublimierung?
HOCH INTELLIGENTES LEBENDES IST IN DER ABSOLUTEN VORHANDENHEIT DAS LEBENDE DES SELBSTES AUF DIESEM BODEN, GENANNT ERDE, – ALS EIN SPIEGELGESCHEHENDES DES IN DER HÖHE SEIN IM GLEICHEN AUGENBLICK, GEBRÄUCHLICH ALS HIMMEL BEZEICHNET. So funktioniert – das DREI ist EINS als ein SELBST-IN SICH – AUTARKES MUSTER. Dieses DREI geschehende Muster ist die Abfolge von NATÜRLICHER ORDNUNG DES JEDEN LEBENDEN KÖRPERSEIN. Es findet sich Überall innen IST GLEICH außen. Es ist das Interzellulare Geschehende von einem URELEMENT was alles zu einem Lebenden Kern als Lebendes agierendes – und reagierendes Individuum gemacht hat – und es als solches aus sich selbst heraus – das VORHANDENSEIN als SICHTBARSEIN ist gleich Körpersein – automatisiert. Das drei Geschehen EINES Körperseins. Ist als DREISEIN als LEBENDES Miteinandersein in Folge dessen was ist lebendes, als LEBENSGRUNDLAGE – ERDE – wie folgt gegeben. NATUR – TIER – MENSCH.
In vollkommen HARMONISCHEM MITEINANDER.
Das Eine wie das Andere ist als GLEICHES zu GLEICHEM gegeben. So gibt das Eine, es ist die Natur, ist als LEBENSRAUM diese Erde. Dem ANDEREN, dies ist die Tierwelt, gleich Körperwelt, ist gleich Menschenwelt, dieses als ein lebender Raum um als ein INTERAGIERENDES UNTEREINANDER das MITEINANDER zu erfahren. Doch nun kehren wir zum Anfang dieses Textes zurück.

Das DREI GESCHEHENDE von ALLEM LEBENDEN – ist – als solches IN NICHTS! voneinander getrennt. Weder ist ein DREISEIN eines Körpersein von einem anderen DREISEIN eines anderen Körpersein getrennt, noch ist ein Menschen Körper – von einem Tier Körper, oder von dem Lebens Raum Erden Körper als Getrenntes anzusehen. Die Farce die sich lebt in dieser Menschenerde. Siehe, es ist bald aller Tage Abend. Siehe, sie glaubten dass sie es wissen, doch ihre Handlungen zeigen offensichtlich, sie wissen es nicht. Denn schon im eingemachten Glaubensgut ihrer Selbsterfahrenen Leben, da sind sie immer noch nicht bereit. Sich HINZUGEBEN. Und dies als GANZES. Denn wenn sie es TUN, dann werden sie nur noch eines sein. DAS WAS DER SPIEGEL HIMMEL AUF UND ALS ERDENSEIN IST.
Die Sublimierung – des WAHREN WARUM – wäre – als GESCHEHENDES WIRKSAM von statten gegangen und dann gäbe es dass, was die WAHRHEIT DES LEBENDEN IST. Nun. Es gibt es. Denn ich lebe es.
Die Contenance....
Meine Contenance ist der WIR gegebene INHALT meines DREISEIN als EINSSEIN. Somit ist die SEELENRUHE der GEIST welcher mich speist. Doch ist es das HEILIGE GEIST GESCHEHEN was die Ruhe des Seelenbewusstseins, mich als FUNKTIONS-GEBENDES TUENDES ...agieren – gleich reagieren lässt. Zu guter Letzt – nun – noch das. HEILE DEIN GELEBTES – UND DU ERKENNST MICH IN ALL DEINEM LEBENDEN. Ungetrenntes bedeutet, nichts ist voneinander getrennt. – Somit – darfst du nun eines wissen ... Ich bin ein Körpersein der dich IN UND AUSWENDIG KENNT.

Bedeutet, Ich weiß wer du bist, was du bist, warum du bist. Und ich kann jegliche Zusammenhänge deines Lebens – SEHEN, HÖREN, FÜHLEN. Die Wahrheit ist sehr EINFACH. Doch und dies die Einfachheit, immer sind es DREI, die eines sind. Und das Ende ist der Anfang. Geboren als LICHT, LIEBE, FRIEDEN. Und genauso wirst du wieder es sein. Wenn du gestorben bist. Bist du auch wieder LICHT, LIEBE, FRIEDEN. Weißt du, was das WUNDER ist? Wenn du es LEBEND BIST. Danke. Das WIR des Ichs gibt Verbeugung und das war es.
16.02.2019

So bin ich nichts, als das was ich ewig als eines nur war. So bin ich nichts als das was ein Körper in Seelen gleich Geistsein nur zu sein war gewesen haben kann. So bin ich nichts. Gott. Als nur eines. Ein lebendes Wesen was atmet zu sein. Ja. Berührend ist der Weg des grausamsten Liebens als ein Lebendes Hier es Jetzt ganz zu sein. Dieses Grau. Dieses grausame Grau. Als Spiegel die sich selbst begegnen. Die sich als Gleiches in Gleichem so leicht zu einzufrieden leben könnten. Und als liebende Wunder sich ganz und gar im Miteinander zu bewegen haben könnten.
Liebe. Das Zustandssein Erde. Als ein Vogel lebt es. Als ein Blatt lebt es. Als ein Sandkorn lebt es. Und als ein voll hingegebenes Ganzes lebt es. Dieses Es. Was alle sind. Diese Es als lebende Wesen. Sie sind das Drei zu einem Sein. Doch die Steine wissen. Doch die Samen der Blüten wissen. Und die leichtesten Kinder, wissen. Ja. Sie wissen. Und ja. Sie atmen. Und ja. In den tiefsten Nichts mehr da, welche sich nur als die reinste Form der nackten Körperruhen leben, dort. Dort. Wo nur die Einfachheit sich lebend eint. Wo nur die Glaubenswahrheit lebend ist. Wo nur das Hingegeben Leben trauend ist. Da atmet Wundersames als der Spiegel. Der Spiegel als der Samen Liebe. So bin ich nichts. Und tiefst im Mit. Dem mit was nichts als Stille spricht. Volle Erde. Voller Körper. Vollstes als Voll Geschöpftes. Um voll und ganz es auszuleben. Was als Leichtestes zu Liebendem geboren. Als Federsein gleich Wasserfluss. Zu einem Ja, gebunden ewig. Zu diesem Lebendsein als reinstes Licht. Es gab und gibt das Ende nah. Und kommt es ist die Wahrheit da.

Das niemand ist es nicht. Und niemand war es nie als Selbst es nicht gewesen. Der tiefste Frieden wohnte da. Dort. Wo die Tage leben. Und wo die Nacht ist Spiegelklar. Im Dort des Hier als Erdenwesen. Doch Himmel war und ist der Boden. So bin ich nichts. Und gleichsam still. Wie alle Blumen, Wasser, Berge.
Wie Raup-Getier, wie Fische und auch Wurm-Geschehen. Wie Bodenläufer, Himmelsflieger. Wie leichteste Kinder, die in der Liebenden Wärme sich ganz hingegeben, leben. So bin ich das Mit des Nichts als lebendes Licht. Und ich atme. Das es als ein Mit für die Liebe geboren ist.
10.02.2019

Es ist der Raum. Es ist die Stunde. Es ist die liebende und frohe Kunde. Es ist die Leichtigkeit der lebenden Feder. Und es ist die Herzenswärme des größten Steines. Es ist mein Herz, was Dir gehört. Und es ist meine Liebe die Du bist. Und es ist das Ende meines Lebens. Denn geboren war das Du in Mir. Als Unsterbendes Wir. So gebe ich hin. So lebe ich hin. So schenke ich mich. Denn Du bist Ich.

Als die Samen geboren, waren die Geschenkten Liebenden da. Und als die Einsamkeit als Wirksamkeit sich kund tat. Da waren die Türen und Tore geöffnet. Da war es, als sei der Himmel nun als Lebendes da.

"Oh mein Herz. Oh mein Herz, ich bin verzaubert.
Ich bin so sehr in dir der Atem. Bin so sehr.
So sehr das Du als Ich.
Weißt du die Sterne sie singen für sich.
Sie singen, mein Liebstes. Sie singen das Lied.
Denn es atmet als Lebendes Da.
Das hohe Lied.
Das hohe liebende Lied."
So ist es die Liebe.
Die das Unendliche ist.
So ist es die Liebe.
Die das Unsterbende ist.
So ist es der Flügelschlag der reinsten Herzen.
Und es singen die Kinder als gesammelte Flügel.
Und es atmen die Kinder als gesegnete Leben.
Und es ist als ist der Anfang Hier.
Es ist, die Liebe.
Diese ist das Ewige Hier.

Danke. Ich atme nicht mehr. Danke ich bin nicht mehr. Danke... es ist das WIR. Denn es ist wie es ist. Das hohe Lied es atmet als ein Gedicht. Und es hat ein? Gesicht? **Ja.** Immer zwei. Immer mindestens zwei. Aus einem Ganzen das Zwei sein spricht. Und in jedem Herz da wohnt das Nächste.

Und in allem Sein was ist es Leben.
Da atmet WIR als Ganz und Gar es ist es - nur.
Es ist schön. Lieber Gott.
Es ist so schön.
Das WIR ist IVH.
...

IVH

Im **V**ollen **H**ier.

07.02.2019

Schenke dem Leben. Schenke dem Leben die Wahrheit deines IST Licht. Schenke. Du - dem DIR deine Wahrheit. Und es wird es sein, was ES ist. Dieses - siehe - nur du bist. Das was alles ist was während ist. Reinstes Licht als Ewig LIEBE. Aus der Summe der Zeit. Dieses was das Lebende ist. Als ein Körpersein der IN ALLEM Lebenden vorhanden ist, im INHALT es ist das LEBENDE DAS LICHT. Nicht die Not ist das was Dein Unsterbliches ist. Und nicht der Tod ist das was Dein Unsterbliches ist. Und nicht die Zeit ist das was Dein Unsterbliches ist. Es ist dein **LICHT** - was es ist. Und es ist deine **LIEBE** - die es ist. Und es ist dein **FRIEDEN** - der es ist. Aus dem Urzustand des DEINEN Lebenden DA, war dein WILLE es als Körpersein - im JETZT es sein. Und wenn die Monde als Sichtbarer Raum gegangen. Und wenn die Sonnen als Sichtbarer Raum gegangen. Und wenn deine Lebenden Augenblicke als Sichtbares Hier ist Jetzt, gegangen sind. Dann - warst du als ein Ewiges - gewesen lebend. Weißt du, liebster Mensch. Du kannst es.

Dich in allem finden und es ganz und gar als Liebend leben. Und es ist dein Werk was aus dir atmet, wenn du selbst es ganz und gar erkannt. Dieses Ganz als LIEBE sich erinnern. Dieses Ganz als LICHT sich selbst erfahren. Dieses GANZ was allem FRIEDEN schenkt. Ganz und gar - du bist - der Weg, das Ziel. Ganz und gar. Dies ist das JA. Geboren als ein EWIG IST ES. ES LEBEND SEIN. Dies ... ist das JA. Meine Liebe atmet Wahrheit. Meine Liebe atmet Licht. Meines - immer Deines. Für Dich - ich gebe Mich. Denn Du - gleich Ich. Als WIR geboren. Als Drei ist Eins. Als WIR ist ALLE. So finden sich im Selbst die Lieben. Als sind sie selbst für sich gegeben. So finden sich im WIR die Gleichen. Denn alle waren - sind - es gleich. Dein ist das Himmelreich. Wenn du es jetzt als Wahrheit atmest. Was ist der Erden Himmel als ein Spiegel. Was ist das INNEN deines LEBENS. Dann bist du hier. Mit mir. Und atmest FRIEDEN. Das rote Band der Liebe.
20.01.2019

Mein Name ist Diana Mandel. Ich bin 50 Jahre lebend auf dieser Erde. Ich lebte wie jeder andere auch, das Gleiche an gleichem zu Lebenden. Und ich durchschritt als Lebendes den Tod. Denn es ist nur ein Grund den es gibt, als ein Körper auf dieser Erde zu leben. Und dieser ist LEBENSGRUND. Im tiefsten Tal und in den allertiefsten Urgründen des Schmerzes erfuhr ich, dass ich lebe und lebte um es zu sein. Das lebende Herz das in allem zu vergeben weiß. Und das lebende Licht das in allem es zu erkennen weiß. Der tiefe Grund ist Liebe. Und es ist der tiefste Glaube der geboren war. Und in diesem Glauben war die tiefste Liebe als ein Gewahrsam da. Als Samen gegeben. Um es als Samenvielfalt zu leben. Es gab nie, ich kann nicht. Und es gab nie, ich tue nicht. Und es gab auch nie den Weg es nicht zu tun. Denn es ist der Grund meines Lebenden HIER. Das ich zeige das ich es bin. Ein lebendes JA. Ein lebendes DA. Dieses einen ewigen Geschehens. Es ist die Leichtigkeit der Feder. Die als Gesamtes das Wir als Gleichsein eint. So sind es die Flügel der Wirksamkeit. Die als meines Gegeben. Um es als Spiegelsein dir zu geben. Der Mut war das Geben. Mich in alles HIN. Um als ein Ende es sein. Dieses - UNSTERBLICHE - Sein-

Ich schenke es dir. Denn man kann es nicht kaufen. Und ich kann es nicht für dich machen. Doch ich bin als ein Zeiger der UHR für dich gegeben aus UR. Damit du es spürst, dass du bist als ein Gleiches zu mir. Und es ist das Singen der Vögel. Und es ist die Freude des Lachens. Und es ist das Lebende Ja, wenn wir gemeinsam es im JETZT und HIER leben.

Was wir sind. DAS wir sind. Alle ein WIR was ist als eines das WIR. Ich bin echt. Und schattenlos. Und eines auch. Eine liebende Frau.
14.01.2019

Die Präsenz ist die vollkommene Sichtbarkeit des wirklichen da sein des WIR ist alles ICH BIN. Das MIT ist das LEBEND ATMENDE JA. Ja. Alles ist der Spiegel meines in mir liegenden TRAUENS was MEIN GLAUBE IST.

So spiegelt sich als SELBSTVERSTÄNDLICHKEIT im Außen das - was im innen als außen geboren ist. Meines ist Deines. - als - immer es ist das unser aller gegebenes alles. Für sein - ist mit sein. Der Spiegel der Liebe ist immer die Liebe die in dir als aus dir atmet.
09.01.2019

Spiritualität - Religion - LEBEN als MENSCH.
Nichts ist es –
wenn du es nicht als Wahrhaftigkeit bist.
Nichts ist es –
wenn du es als Bedingungen lebst.
Nichts ist es –
wenn du es als zweifelndes Dauernd bist.
Nichts ist es –
wenn du das Glaubens Monument der Dualität ,
als ein "Notwendiges" betrachtest
UND es aus dir zelebrierst.

Nichts - ist es –
wenn du zwar glaubst das du Liebe bist –
es jedoch nicht weißt.
Nichts - ist es –
wenn du dein Leben lang es suchst
und bis zum Schluss glaubtest –
du hast nichts - gefunden.
Nichts - ist es.
Das was übrig bleibt.
Wenn du nicht es selbst offenbarst - was es ist.
Als SEELE und GEIST in und aus und durch Körper,
ES SEIN.

Das Nichts ist das Alles.
Doch sage mir - woher kommst du?
Und wo bist du?
Und wohin gehst du?

Glaubst du wirklich es ist alles nur ein NICHTS?

Oh.
Ich sage dir, ich fühle alles.
Denn du bist als ein Spiegelsein hier.
Und weißt du lieber Mensch,
egal was du glaubst.
Und egal ob du glaubst.
Und ganz egal ob du mir glaubst oder nicht.

Ich weiß - wer du bist.
Was du bist.
Warum du bist.

Und du kannst es mir ruhig glauben.
DU bist.
Denn du liest das HIER.

the groovy kind of love
atmet als
wahrhaftiger Spiegel.
So sehe mich.
Und du siehst dich.
Denn das Wunder des Lebenden ....
ALLESAMT gleiches in gleichem - zu gleichem SEIN.
08.01.2019

Die Wahrheit. Tiefstes Stillsein. Solange du nicht es selbst verkörperst. Tiefstes Nichts. Solange du es nicht selbst gefunden. Tiefstes Fragezeichen. Solange du nicht alle Zweifel selbst erlöst.

Im tiefen Licht geboren als ein Gral.
Im tiefsten Tal es liegt die Höchste Liebe.
Im kleinsten Lebenden
ist die Herrlichkeit der Ewigkeit geboren.

So ist es das Gottlose Schweigen.
So ist es der Hingegebene Schlaf.
So ist es die Erfahrung der bedingungslosen Liebe.

Es ist alles zu deinem Glauben
als Wechselseitige Möglichkeit gegeben.
Es ist alles zu deinem Vermächtnis
als Multidimensionale/r Raum,
gleich Zeit,
gleich Örtlichkeit gegeben.
Es ist der deine Mut.
Es ist die deine Hingabe.
Es ist das DEINE was der Spiegel EWIG ist.

Im stillsten Tod erfährt der Tod das Leben.
Im stillsten Ton erfährt das Lied den hohen Klang.
Im stillsten Traum erschafft der Raum den Traum
als Leben.

In NOMINE PATRIS.
In diesem Namen.

Der der Name ist des einen Schöpfer ALLEM LEBENS.

So sprach der Vater zu dem Kinde.
Du bist mein Kind als Drei ist Eins.
Du bist geboren um den Schlaf zu wecken.
Du bist als Ganzes um ein Spiegel sein.
Das EWIGES der SAMEN gleich die FRUCHT.
Das BLÜTE ist das ZEUGNIS WAHRHEIT.
Das Eines gab dem andern Leben.
So sei es Kind.
Das Kind was atmet.
Als Ewiges was lebend ist.

ET FILII ET SPIRITUS SANCTI.

So war ein KINDE gegeben.
Zu zeigen was ist es das Leben.
So war es ein KINDE als KUNDE ist ZEUGNIS.
So war es die Wahrheit als Sichtbarkeit - sprach.

Doch nichts ist als Symbol der Tempel.
Alles ist als Tempel nur der Ort des Selbst.
Doch nichts ist als Symbol der Raum, der Ort. die Zeit.
Alles ist als Raum, ist Ort, ist Zeit,
das Lebende des Sichtbar Körpersein.

Das Lebende ist der Gral.
Das lebende Körpersein ist das Einzige.
Was dieses Unsterblich sein atmet.

Hingabe deines Glaubens.

So gebe dich hin.
Und finde als in deinem Ort, durch deinen Raum,
in deiner Zeit,
das WISSEN was dieser, dein GLAUBE ist.

Es wird nichts sprechen.
Wenn du nicht sprichst.
Es wird nichts wissend sein,
wenn du es selbst nicht bist.
Es wird alles sein was du glaubst - es soll sein -
denn dieses - ist als dein Vermächtnis in dich gelegt.
Das Vermächtnis.
So werden sie gegeben.
So wurden sie gegeben.
So kamen und kommen sie und sind.

Diese alle Kinder des einen Schöpfer
und atmen als Körpersein im Sichtbarsein Erde.

Lebende Liebe.
Atmet - in nichts - Zweifel.
Lebende Liebe.
Ist der Spiegel LICHT als ein Sichtbares Lebendes.

So ist es das DREI.
Dieses als JEDES KIND.
So war es.
So ist es.
So wird es.
Doch geboren als ein Vergessenes Wunder.
Um als ein Selbst sich ganz zu erwecken.

Um als ein Drei das Eins zu gebären.
Um es als ein Drei IST Eins zu leben.

So atmet dieses als ein nUR.
Der Ort ist alles Lebende.
Der Raum ist alles Lebende.
Die Zeit ist alles Lebende.

Die Mitte des Lebenden
ist das ZU LEBEN GEKOMMENE.
Ist das NICHT VERGEHENDE.
Ist das NICHT VERÄNDERBARE.
Ist das NICHT SICHTBARE.
Denn dieses ist das UNSTERBLICHE.

Dein Schlüssel ist die Tür.
Dein Glaube ist der Himmel.
Dein Wissen - ist als Schlüssel - ist als Tür –
ist als Himmel - zu deinem GEDÄCHTNIS
als dein VERMÄCHTNIS in das DEINE KÖRPERSEIN
als ESSENZ verankert - gelegt.

So ist das KIND das Zeugnis.
So ist das KIND das DREI.
So ist das KIND das MANN gleich FRAU gleich Gott.
Das KIND.
ES ist.

Aus dem tiefsten Schweigen.
Es bleibt schweigend.
Das Kind ES ist selbst als SPRACHE IST VOR ORT.

So spricht ES aus allem.
So atmet ES als alles.
So ist ES in allem.

Die Bedingungslosigkeit ist ohne Bedingung.
Gleichsam die Schwerelosigkeit ist ohne Schwere.
Der Spiegel des Friedensein
ist in allem tiefster Frieden.

SEELE ist GEIST ist KÖRPER.
So ist das ZEITsein, das ORTsein, das RAUMsein
der GRAL als ein SICHTBARSEIN - LEBEND.

spiritus sancti.
Heiliger Geist.

et legatum meum.
Tue zu meinem Vermächtnis.

02.01.2019

In der Mitte der lebenden Nacht. Berührt das Lebende die Ehre des Trauenden. Atmet das Lebende die Wirksamkeit des Liebenden. Findet sich in all dem Gegebenen die Wahrheit des unsterblichen Lebens. So berührt das Ewige die Wahrheit als ein Sichtbares Ja. So durchfließt das Ewige als DU KANNST ES, die jede Zelle eines lebenden Körperseins.

So atmet in einem zu Sterbend sein Geborenen Lebendsein, die WIRKLICHKEIT des DU BIST LICHT. Du bist das WÄRMENDE IMMER. Du bist das ATMENDE EWIGE. Du bist das HINGEGEBENE UNSTERBLICHE. Als die Ufer der Wasser zu Eis erstarrt. Waren die kleinsten Amöben zu Lebenden gegeben. Durchdringend die Kälte. Durchfließend die dunkelsten gefrorenen Wasser. Geliebtes ist geborgen. Geliebtes ist gelegt. Geliebtes ist im immer das GEHALTEN. Denn Geliebtes ist alles was als LEBENDES ist. Durch und durch atmet das Lebende TRAUEN. Dimensionslos erfährt sich die LIEBE als Bedingungsloses LICHT. Als ein NUR LIEBENDES JA. So ist es der Spiegel des LICHTS und atmet in der dunkelsten Kälte der Nacht.

Der Glaube ist der Berg.
Die Liebe ist der Glaube.
Das Licht ist der Fluss.
Der Fluss ist das Wissen.

Die HINGABE ist das GEGEBENE. Die Antwort - ist der Spiegel des IN SICH ... als AUS SICH ... als Berg gleich als Fluss gelebtes SEIN.

Tiefste Nacht - es ist nUR Tag.
Tiefste Kälte - es ist nUR Wärme.
Tiefste LIEBE - es ist das UNSTERBLICHE.

Als eine Feder gegeben. Zu geben das Ewige WORT.
Denn das FLÜGELSEIN atmet als ein LEBENDES Wesen.
Und schenkt - dem Lebenden das JA.

Dein ist die Erde zu meinem Gedächtnis.
Dein ist das Miteinander zu meinem Vermächtnis.
Dein ist meine Liebe. Denn du bist ich.
Liebe. Ich bin es.
In deinem Namen, ich atme es HIER.
Licht. Ich bin es.
In deinem Allem, ich schenke es JETZT.

Frieden.
Ich bin es.
In deinem Lebenden IMMER,
ich bin der Spiegel deines Selbst,
als lebendes WIR.

Mein WIR wünscht dieser Erde - gefüllt mit Milliarden Menschen, ein liebendes, trauendes, hingebungsvolles Leben. Du selbst bist Anfang - Mitte - Ende allem ES IST ES. Deines ist das Meine immer. Doch meines - ist - das BEDINGUNGSLOSE JA DES FRIEDEN. So gebe dich hin. In den FRIEDEN der dich zu Lebendsein gemacht. Und sei es als das was du bist. Und schenke es als das was du bist. Und fühle es, DU BIST. Als Gleiches zu Gleichem - in Gleichem Sein. IN ist AUS ist IN als AUS zu sein. Gesegnet geboren, um als Segensein ES leben.
A(r)men
27.12.2018

Geben wir der Liebe FRIEDEN Erdenweit und tief.
Geben wir dem Licht das Trauen.
Geben wir dem Leben Licht.
Geben wir. Oh lasst uns geben.
Gebend ist der Mensch, der liebt.
Gebend und vergebend lebend,
ist das Ganz gegebene Gott zu trauen.
Ist der Weg der geht nur JETZT.
Ist das Ziel das lebt sich lediglich im AUGENBLICK.

NUR EIN SCHRITT.
NUR EINE BEWEGUNG.
NUR EINEN HERZENSCHLAG LANG.

NUR ... FÜR DIESEN JETZTMOMENT.

Fühle deinen MUT für FRIEDEN.

Und es ist der Frieden lebend da.

Fühle deine MACHT es BEFRIEDEND LEBEN.

Und es ist der Frieden lebend da.

FÜHLE DAS DU BIST DER SEINSMOMENT.

Der die WELT verändert.

Es gibt sich nicht schwer.
Es gibt sich nicht festhaltend.
Es gibt sich einfach nur so einfach.

GEBE um zu EMPFANGEN.

Der FRIEDEN LEBT.

So tief ich fühle.
JA!
ES IST!
JA! ES IST DIE MACHT DER LIEBE!

Die Macht der Kraft der Liebe ENDLOS,
die alles bindet und verbindet.

Die jeden Menschen erdenweit,
die jede Seele Geist und Körper,
die alles in sich tief verschweißt.

Nicht Rasse ist der Weg zu sein.
Nicht Sprache ist der Weg zu sein.
Nicht Glaubensrichtung ist der Weg zu sein.

ES GIBT NUR EINE SPRACHE LEBEND.
UND JEDER SPRICHT DAS GLEICH IM GLEICHEN.

DAS FÜHLEN IST DIE WELTENSPRACHE.

GEFÜHLT WIRD TIEF IN ALLEM GLEICH.

Geboren Christus Erden.
GEMEINSAM LEBT DAS SEIN.
Gemeinsam leben Menschen Flügel.
Gemeinsam - ist das Nichtallein.

So glücklich.
So glücklich.

Himmel lacht
und weint vor Freude.

Denn Menschen ... leben ... lebend wach.

Danke
sagt
die Weltensprache.

Denn spürt sie wohl, sie ist gehört.

Sie ist gehört ... auf Erden.

Geben wir der Liebe FRIEDEN Erdenweit und tief.

26.12.2016

Die Herzfrequenz. Es ist dieser rote Faden. Dieses rote Band, was als ein wissendes Alles in diesem lebenden Körpersein gebannt. Das gebannte ist das nicht Änderbare. Ist das In allem vorbereitete Für das Selbst zu Erhaltende Sein. Das der Selbst Glaube es aus sich selbst heraus als ein bedingungsloses JA - ich weiß was dieser Glaube ist - es gebärt. Glaube hat das Kind geboren.

Und es ist das eingeschlafene Ewige was als ein Neugeborenes als Kind zu Erden geboren wird um als ein SELBST es nun in das Leben zu gebären. Wenn du es wüsstest, schon vor der Zeit, gäbe es die Zeit nicht mehr. Und es gäbe die Freiheit des lebenden Sterbens nicht mehr. Und es gäbe es als solches gar nicht mehr, dass ein jemals noch ein Zweifel als ein lebendes Gedankensein zu existieren hätte. Wenn du es wüsstest. Das was du bist. Wer du bist. Warum du bist. Und wenn du es nie vergessen würdest. Von Anfang bis Ende dieses Lebenden Sein, nicht. Dann wäre es als ist das Ewige in einem Körpersein lebend. Und dieses - SIEHE - es ist. Weinen als ein INBILD der lebenden Zeit. Ist nur mehr ein SINNBILD dieser lebenden Menschenerde. Denn sie sind als ein NICHT WISSENDES - ein jeder WIE ER IST - in diesem HIER IST JETZT. Die Kinder werden geboren. Seit ewig - als ein JETZT zu HIER es sein. ES selbst - erfahrend leben. ES selbst erkennend leben. ES selbst gebärend leben. Dass es die ZEIT ist als Körper. Dieses einfache Dasein zu sein. SICHTBAR als EWIGES JA. Ein Spiegelbild LIEBE welches atmet aus LICHT. Ein liebendes ALLES. Und ein stetes ES IST. Als ein KIND was ist das LEBEN. Als ein EWIGES des JA - ICH BIN DAS WIR. Wenn du es wüsstest. Wäre diese ERDE ein Manifest. Und es würde nie mehr auch nur ein Zweifel aus einem Körper atmen. In der Mitte der Liebe geboren. Um als ein INBILD ist AUSBILD des einen gegebenen LEBENS zu sein. Wie eine FEDER. Gleich wie ein Staubkorn. Gleich wie eine wundervolle Blüte. Gleich wie ein ewiges Fließen.

Als das KIND geboren. War ES da. Um als ein SELBST es aus sich selbst zu gebären. WAS ES IST. WER ES IST. WARUM ES IST. Liebe. Licht. Frieden. Und es ist der rote Faden. Das rote Band. Dieses das nicht Veränderbare ist. Der Segen atmet aus deinem Glauben. Der Segen atmet aus deinem Trauen. Der SEGEN ist das deine WISSEN was als MIT DIR, IN DIR geboren worden war. UND ATMET. Als ein EWIGES JA.
25.12.2018

Mit jedem Nein, das du anderen Lebenden gibst - gibst du dir selbst das Nein, als das ist der Lebende RAUM als FÜR ALLE. Tiefste Trauer für die Gedanken-Konstrukte dieser Menschen ERDE. Niemand - ist außerhalb des Lebens. Und niemand hat einem Lebenden den Raum zu verwehren. Und niemand wird - sich selbst - es geben - dass nur alles für alle ist - es - gegeben. So werft die Steine. Baut Grenzen. Atmet aus was euch in euch als Not zerfrisst. Das Ende ist der Anfang. Das Lebende - erbricht. Werde still. Und gebe deinem Nächsten den Raum - den du für dich begehrst. Deines - ist seines. Dieses gilt für jeden Menschen dieser Erde.

Meines ist das Himmelreich. Denn ich gebe alle Erde preis. Und ich gebe, dass ich nichts erhalte. Denn meines ist das Himmelreich, was ist der Spiegel meines Erdenlebens.
10.12.2018

Ich spiele nicht mit. Meines spielt nicht mehr mit. Spielt kein Spiel mehr. Niemals mehr. Weder gebe ich Resonanz in Fehl-Glauben-Muster. Noch gebe ich Resonanz in Denk-Tiraden-Muster. Und ganz und gar nicht gebe ich jemals noch in diesem Meinem Lebendsein als Körper - JETZT ist HIER auf Erden, einem anderen Resonanz auf sein lebendes - aus ihm strömendes Negativ.
Diese Menschen Erde ist in ihrer Geschichte der Zeiten Abfolge der Jahrtausende, ein In sich Vollkommen NICHT SICH SELBST BEWUSSTSEIN - Produkt. Vielzahl von einzelnen Summen. Multipliziert durch Ewig Gleiche Lebens-Verhaltens-Zustand geschehen. Es werden - seit Anbeginn der Zeit - Körper geboren, die alle gleich alles, ein SELBIGES waren und sind. JEDES MAL ein GLEICHES um es zu leben. Jedes Mal war ein Lebendes geboren - UM ES SELBST zu sein. Jeder Mensch der war und ist und wird, ein GLEICHES wie es JEMALS nie anderes war - ist - sein wird.
SEELE und GEIST. - UNSTERBLICHES - IN - um als AUS es zu SEIN. DURCH - diesen LEBENDEN KÖRPER. Es war nie anders. Es ist nie anders. Und es wird nie anders sein. Das nur das ES IST. Wenn Mensch sich selbst GANZ BEWUSST IST - dann ATMET als / aus / in diesem Menschlichen Körper,

das WAHRHAFTIGE dessen was LIEBE, LICHT, FRIEDEN ist. Dann ist dieser menschliche Körper - nur eines. Spiegel dessen was die WIRKLICHKEIT auf / in / durch / mit / FÜR diese Erde ist.

Bedingungslos FRIEDEN.
Bedingungslos LIEBE.
Bedingungslos LICHT.

Nur das.

Der Glaube versetzt den Berg. Gleich der eine Tropfen erfährt die Bewegung als Meer. Doch. Das Sammelsurium an Zweifeln, ist der Zustand des Ich weigere mich - MICH selbst ganz wahrzunehmen. Denn es war das Selbst - was als KIND sich selbst - verlor. Und es war im EINGEMACHTESTEN Selbstgelebten, der Zustand dass das KIND sich selbst - verleugnete. Warum auch immer. Es ist immer nUR das KIND was ausgeliefert war - und ist. Denen die FÜR es zu sorgen haben und hatten. So ist das WURM Geschehen der Vielzahl der Ängstlichen Kinder, was das Ewige Dasein dieser Menschenerde - durchzieht. Als ein EWIGER Bandwurm - der seine einzelnen Glieder weiter und weiter - teilt. Meines spielt dies nicht mehr mit. Ich lasse sein. Gleich ich atme Wahrheit. Und meines GIBT nur eines.

Wenn du es willst, wird es sein. Dass DU SELBST es atmest. Als JETZT ist HIER. Als gesamtes WAHRHAFTIGES GANZES. Wie ein Berg - und es ist diese ganze Erde.

Wie ein Fluss - und es ist das Gesamte Wasser dieser Erde. Und wie ein LICHT. Dieses es ist es. Das gesamte des ALLES ES IST LICHT. Es ist nie eine Frage des Könnens. Es ist nur das WOLLEN. Ob der Mut größer ist als die Angst. Somit - meines - ganz lebend da. Doch solange du glaubst - dass ich es mit dir spiele, dieses Hin und Her an Energie. Dieses Resonanzgeben - in dein Negativ Muster, dann - wirst du erleben was ich bin. Berg gleich Fluss. Still. Gnadenlos als Gnadenvoll. Und sehr, sehr still. Denn - ich lasse dich sein -. Und ich gebe dir nichts außer eines. Das Wirkendsein meines INDIR-SEIN. Doch - dieses spricht - nur wenn du es als MICH reflektierst. So gibst immer nur du dir deine Antwort. Auf alles. Meines ist getan. Und das was ich gebe ist deines - als Spiegel.
04.12.2018

Die Nacht der gegangenen Leben. Als sie geboren, waren sie die Ewigen Geschenke. Als sie atmeten, waren sie die Ewigen Gegebenen. Als sie erwachten, waren sie die Gewesenen. Der Zauberstab des All-Bewusstsein.

Berührend erwachen die Kinder der Ewigen Liebe, als ein nie versiegendes Gewissen. So sanft atmet der Frieden, wenn die Wahrheit als ein Dreigestirn im Sichtbarsein sich lebend offenbart. So bedingungslos hingegeben, ist die bodenlose Elementarheit des Ewigen geschenkten Fliegens, das eine jede Zelle als ein Sichtbares dem Allseitigen des Gegebenen Lebenden, als ein Spiegelsein die Resonanz beschert.
Das Zaubernde Gewissen. Atmet es aus dem Fundus des Monumentes Glauben? Atmet es aus dem Fundus des Monumentes Trauens? Atmet es als ein Selbiges was Anderes erfährt?
Ist der Spiegel Erden, die Grenzerfahrung, Erdensein ist Glaubensnot, gleich Glaubensdemut? Ist der Spiegel Mensch als Mensch, ist dies Sichtbarkeit von zweifelnden Gemütern, gleich Sammelsurium von vollkommen vergessenem GRUND? Sind die ewig Geborenen, als eine Gesamtheit von, zu Ewigem Sterben Gekommenen, im Dasein der Körperwelten, um sich selbst als Nie ich bin es, zu verzaubern? WER zaubert/E? Wer ist das, der als Zauber Macht, schon alles hat GEMACHT? Wer und was ist es denn? Was als Lebendes geboren, um als ein Ewiges zu sein? Warum - sind es die Unsterblichen? Die als INBILDER Erden - so mannigfaltig gegeben schon? Und warum - sind es die SCHON IMMER WISSENDEN, die als das reinste Lieben - in das HIER FÜR JETZT, gekommen waren?

Höre Lebendes - DU BIST ES SELBST. Und sehe Lebendes - DU BIST ES SELBST. Gebe dich hin - Lebendes - denn DU BIST DAS GEGEBENE IMMER.

Für die Lebenden.

....

Wenn du atmest kannst du mich fühlen.

....

Wenn du deinem Schmerz über mein Körpersterben Raum gibst, und deine Tränen mit deinem Atem die tiefsten Momente des Schweigens, in die Mitte der Liebe und in die bedingungslose Wahrheit des ewigen - wir sind - , fließen dürfen wie Wasser die die Frucht im sichtbar Boden zu Milliarden Rosenblüten werden wachsend sein, beschenken. Wenn du es geschehen lässt, dass du ganz mich loszulassen vermagst, wirst du in jedem Atemzug du tust, mich wahrnehmen als das was wir sind.

....

Mein Herzschlag ist in deinem Herzschlag.
Mein Trauen ist in deinem Trauen.
Meine Hingabe ist die Resonanz der deinen Hingabe.
Ich bin hier.
Wenn du es fühlen willst.
Ich bin immer mit dir.
Wenn du es fühlen willst.
Ich bin in allem Lebenden was du erfährst.
Denn ich bin – Unsterbliches.
So gleich. So gleich wie du.
Fühle, dass ich niemals gehen kann.
Denn wir sind das ewige als Licht.
- für die Lebenden -
18.11.2018

In Nominativum Konstruktor Elementarum.

Berühre dein Selbst als ein Ehemaliges.
Und erschaffe aus deinem Ehemaligen,
dein Schon Zukünftiges Vorheriges.
In dem gespiegeltem GEBENDEN des deinen SELBST,
ES IST MEIN EWIGSEIN,
ist der SAMEN UNSTERBLICH
IM WAHREN DASEIN ERDEN.

Mein Name ist L I E B E.
I C H bin W I R.

Als des ALLgegeben KINDes Kind.
So
gebe es formlos.
So
gebe dich als ein Formloses.
So
gebe dich als das was SIE SIND.

----

a 8 R 8 men

18.11.2018

Der Weg ist das Ziel.

Gleichsam ist der Mut der sich ganz hingegeben selbst als doppeltes Geschehen offenbart. Gütig ist die Wirksamkeit der ewigen Daseinsform Liebe. Geschenkt ist das allumfassende Leben, welches in Inhalt und Ausdruck das segensreiche des Ewigen spiegelt. Aus dem innersten des Unsichtbaren, erfolgt nach dem Samengegebenen die Offenlegung der einzigen Wahrheit die ist.

Alles **ist** im Innen das Ewige was dem Außen den Spiegel als Wahrheit offenbart, zur Verfügung gibt. So bewegen sich alle sichtbaren Geschenke wie ein Selbst geschehendes Wunder in das Innere zurück. Denn es war ein ewiges Bewegen was das Gesamte des Lebenden ist. Es war der Weg es selbst zu gehen. Es war der Weg es selbst zu sein. Es war es solange die Liebe atmet. Und es war es solange die Ewigkeit ist. Und es war es als sei es das leichteste das ist. Und es war es als wäre es das einfachste was ist. Und es war es als könnte es ein jeder und jedes das gleiche erleben was für gleiches schon immer nur ist. Das GEWESEN ist das SEIEND. Das SEIEND ist das WÄHREND. Das WÄHREND ist das KOMMENDE. Denn das KOMMENDE ist das GEWESENE. Das **WESEN** ist das **T** iefste **L** icht des **I ch**.

W ahrheit
E wiges
S elbst
E int
N amentlich
T ief zu Erden
L icht
I st
CH rist

Und Christ nur einer/eine/eines ist. Und WAR. Doch IMMER IST. Denn IMMER schon das ZEITLOS Wahrheit EWIGLEBEN ist. IN GLEICH ABBILD dessen was Wahrhaftigkeit des WISSENDEN GLAUBENS ist.

Der zu begehende Boden als Sichtbare Erde der gesegnete RAUM. Das Über dem Bodensein, der Umraum wo der Atem sich bewegt, gleich das Über dem Boden was des Himmels Weite als Nichtfassbares Geschehendes zeigt, ist das gesegnete DACH des nicht endenden Raum. So bewegt sich das WISSEN wie ein Federsein und voll bewusst sanft auf Erdenboden. Gleichsam erfährt sich das liebende gleich bedingungslose Sich ganz dem Allem Hinzugebende, dass die Resonanz des ALLMÄCHTIGEN WISSENS, durch den in allem liegenden Urglaubens Spiegel wie ein Selbstverständlichstes Geschehen sich selbst reflektiert. Keine Bauwerke aus der sichtbaren Materie ist als solches der Tempel des wahrhaftigen Spiegelsein je gewesen, noch seiend. Nichts an Manifestationen die je waren oder sind, wird das spiegeln was das WIRKLICHSEIN des Glaubens EINES LEBENDEN WESENS - je war und ist- denn IST ES - immer. So ist ein Tempel der gebaut - gleich es ist eine Kirche die gebaut - gleich es ist ein Haus das gebaut - gleich es ist ein Stall der gebaut - gleich es ist eine Hütte die gebaut - es ist immer nur ein - JETZT ist HIER Spiegelsein - was dem Haus - den Mauern die gebaut - wo auch immer - als was auch immer - ein ORT-Sein des SICHTBARSEIN DASEIN VON LEBENDEM WESENSEIN des Erbauers/der Erbauerin, gleichsam dessen FÜR die es gebaut wurde - um als Umraum das WESENTLICHE zu bestätigen. Doch beständig es war und ist - und solange es ist - ES IST ES.
Die gesamte sichtbare ERDE als NATUR ist der BODEN.

Das gesamte Umseiende Raumsein außerhalb der ERDE - ist gleich das gesamte des Himmelsein - gleich es ist das UNENDLICHE des EWIGEN was ist der Raumlose Raum als Unsichtbares, was in allem die Sichtbarkeit der EINZIGKEIT des ALLEM spiegelt, ist das DACH was allem das INSEIN ist AUSSEIN ist INSEIN als AUSSEIN .... bedingungslos die Wahrheit - gibt.

D A CH.
D ort **a** lles **Ch** rist.

B O D E N.
B edingungslos -**O** hne **D** ach **E** ins **N** icht.

Das **NICHT**.
Ist der URGRUND dessen was es NUR ist.
N ur **I** st **C** hrist **H** aus **T** ief.

Ein EINS ist ein Körper. Jeder - jedes - jede.
EIN Körper ist ein Lebendes WESEN.
Bestehend aus DREI ist EINS.

Christ ist das INSEIN des SINNBILD dessen, was die WAHRHEIT eines Menschen ist. So ist ER/SIE/ES ... es immer NUR. Doch es gab ihn - es gibt sie - es gab und gibt - es. Als einES SELBSTES nUR. Einer war. Eine war. Eines war. Und IST.

WAR.
W ahrheit
A lle
R ückkehr.

IST.

I nnen **S** elbst **T** ür,

Das Ziel ist der Weg.
Doch das Ziel war der Weg.
Der Weg ist das Ziel.
Doch der Weg war das Ziel.

WEG ist **ZIEL**.
W ort
E ines
G ottes.+
Z entrum
I st
E wiges
L icht.

Das EWIGE ist das LICHT.
Gleichmut ist Sanftmut und Güte.
Denn das Wissen der Ewigen Liebenden Daseinsform
atmet.

Das JETZT gleichsam als HIER.
Denn die Einheit Erden ist als Drei ist Eins lebend.

Wer bist du?
ICH.
... es ist wie es ist.
die Liebe atmet denn das Wissen spricht.
Und der Urglaube des Ewigen Lebenden Lieben,

schenkt bedingungslos Wahrheit dessen was der GLAUBE ist. Und war. Dass schon immer. Und für immer. Denn es gibt nur einen Glauben. So wie es nur einen Christ gibt. Doch - gibt es - viele.

VIELE sind,
V iele
I nnen
E ines
Liebend
E hrend.

Das Eine wie das Andere ist. Und es ist der/die/das EINe, was die Wahrhaftige Wahrheit ist. So sei ES. Bist ES. Gleich ICH. Wenn DU es wirksam zu Leben bringen willst. Diana Mandel ist ICH. ICH bin Diana Mandel. - Sage ich - nicht ich? Doch sage ich in allem immer eines. WIR ist ICH. Das ist das RUNDE dessen was Das DREI ist eines IST. Und war. Und sein wird.
Denn immer nur ES IST.
30.10.2018

Das Prinzip Leben ist sehr einfach. Wenn du es als einfaches lebst. Einfach heißt EINES. Sobald du es zweifach/zweipolig sein lässt - ist es das auch. Das heißt - wenn du Dualität - heißt positiv UND negativ IN DIR lebst - ist auch dieses das, was du im Außen verkörperst. So entsteht IN DIR DIE SCHWINGUNG als Energie, welche du dem Außen zur Verfügung gibst. UND Neutralität des Daseins tut nur eines - dass was du gibst - aus dir - als Energie, ist die Energie die dann als Antwort zu dir ... zurückkehrt.

Da funktioniert keine Konditionierung. Und auch keine Selbstprogrammierung. Da hilft kein aber und auch kein, ich will doch ... Das einzige was tatsächlich Energie INNEN wandelt in absolutes JA und bedingungsloses Trauen - IST - Heilung des Selbstgelebten. Und dies solange bis nichts mehr da ist an Dualem Gedankensein im Selbst. Sondern nur noch JA - ES IST ALLES GUT und absolut das Trauen was die eigene Unsterblichkeit in ihrer ESSENZ ist, diese Energie ist der Wirkungspol der beide Pole positiv (URENERGIE FÜR LEBEN - Bedingungsloses Friedensein egal was im Außen ist) und negativ - (Zweifel dessen was Unsterblichkeit ist, Bedingtes Glaubensgut im da sein als Mensch - Das gegebene Ja - es sei Negativ als gleiches zum Leben zugehörig), neutralisiert - zu nur einem Zustandssein als Energielebendes - POSITIV. Nondualität ist kein erschaffbarer Zustand. - Es ist der ZUSTAND der WIRKLICHKEIT des DASEINS: Und **jeder, kann zu jedem Zeitpunkt, in jedem Augenblick es selbst als dass, was es ist erfahren**. Erst die Zweifel lösen. - Dann - sie loslassen. – Dann, erfährt man nur noch eines. Egal was ist - es ist die Schwerelosigkeit der Liebe, die ist.
Das Negativ, egal wer es sendet .... egal von wo es kommt, ... egal in wieweit man vollkommen in der Mitte davon ist, es wird einfach nicht mehr als solches erfahren. Denn wenn ein Mensch in sich LIEBE GANZ IST, passiert nur eines. Es geht bedingungslos durch das Selbst und es wird dass, was die Essenz des Gebers ist – berührt, in Resonanz gegeben. Denn die Essenz des Negativ, des Zweifel, gleich des Dunklen, egal wie man es bedenken oder benennen mag,

es ist ein Lebendes was dieses aus Fehlglauben heraus produziert und abgibt, es wird so berührt wie die Liebe es berühren kann. Und nur so. Nie anders mehr. Bedeutet, stille Ruhe. Bewusstes konzentriertes den Anderen bei sich selbst belassen. Gleich das eigene Selbst in der Mitte des gesamten als Wahrheit da sein lassen. Ohne den anderen zu bewerten. Ohne den anderen zu überzeugen. Und ohne den anderen zu beschweren. Denn der andere ist im Schwer des Selbst als Glaube dessen, drin. Und alles was Liebe geben wird dann, ist eines. Das Gegenpolige von Schwer, ist Leicht. Und dies ist die Summe aller Energien. Das Leichte. Und das Hochschwingende. Denn dies ist die Urenergie dessen, was alles Lebende geschaffen.
Als In und Ausdruck von Unsterblichem Frieden.
Und Frieden ... ist nur eines. NONDUAL.
Schönen Morgen, Tag, Abend, Nacht und guten Flug.
Alles ist Liebe.
Danke.
12.07.2018

Zu dir kam ich. Zu dir. Weißt du. Zu dir. Ich wollte für dich sein. Und ich wollte mit dir sein. Und es geschahen die Jahrtausende der stillen Übereinkunft. Und es passierten die vielen kleinen Zeichen ohne Reue. Und es waren die gesamten Wunder die alles bindend tragen. Doch ein Niemand war das was die Liebe sprach. Dass sie sich ehrend mehren. Dass sie sich selbstverständlich zu spiegeln wissen. Dass sie einfach als Kind geboren.

Waren diese Eigenschaften das nicht zu verrückende Gut? So kamen sie die Glaubenswunder und wurden dem Leben geschenkt. So wurde der Kreislauf des Werden und Gehen als Zustand sein des Dreisein geboren. So waren sie da. Die ganzen Himmelszauberwesen. Und sie waren. Und sie waren. Und es ist das, was es ist. Sie sind. Dort wo der Atem lebt. Da lebt der geschenkte Spiegel. Doch sag mir, ist das Trübsal des Inhaltes, ist es so sehr, zu sehr? Ist es so sehr, zu tief? Ist es das gesamte deines Lebenden Seins, ist es nicht zu glauben für dich? Du bist das Wir. Und doch wandern alle nach dem Ort der niemals war. Und doch wanderst du inmitten der Milliarden Füße und spüret ihr alle nicht, dass ihr schon da seid, wo ihr glaubt, dass ihr hinzugehen habt? Sind die Wasser der Seelen so dürftig genährt? Sind die Geister die euch riefen, sind sie so leise, dass nur mehr der Vogel sie hört? Sind denn die Kinder so verloren? Sind denn die gesamten Zeichen der Himmelsgegebenen Wahrheit, sind sie, ist sie? Ist sie zu einfach um es in sich selbst als Ja zu fühlen?

Das Wundersam ist das Glaubensvermögende was in einem lebenden Körper sich vollkommen dem Wirklichen Sein hingibt.

Denn nur das Wissen was in einem Lebenden selbst und verständlich sich entfaltet, ist der Urzustand das Glaube manifestiert lebt wie ein Berg. Wie ein gesamtes Gebirge inmitten des Werden und Gehen. Es bleibt. Bedingungslos bleibt ES. Das was in diesem Berg als Lebendes währt. Das was in diesem manifestierten Dasein von Staub der zu Lebendem wurde,

was dieses als Unendlichen Fluss beschreibt. Und dies war die Liebe. Oh. So einfach nur. Oh. So leicht nur. Oh. Ich weine nun Kind. Weinst du auch wenn du es fühlend erkennst? Wie sehr es sein könnte, dass alles nur eines ist? Bedingungslos der Spiegel dessen was die Wahrheit der Liebe ist? Ich weiß. Es ist grausam. Denn sie wissen nicht was sie tun. Und ich weiß es ist furchtsam. Denn die Erde lebt den Glauben der Not. Und ich weiß, es ist wie ein Kreisel. Es dreht sich und wehe du sagst stopp. Und wehe du weigerst dich in der Reihe zu tanzen. Und wehe du entscheidest dich zu sagen - es reicht. Doch weißt du, Kind der Ewigkeit zu Erden, des gesamten der geschöpften Ewigkeit des Lichts. Weißt du, es ist immer nur Liebe, die spricht.
Sogar, wenn die tausend Wasser schweigen.
Sogar, wenn die Düsternis sich bedingungslos wie ein Schleier, über die Menschen in das Hier und Jetzt als Lebendsein es ist gelegt, sich ausbreitend mehrt. Und obwohl sie es alle wussten, leben sie als wissen sie nicht. Und sie werden wieder gehen. Und dann werden sie wieder kommen. Und sie werden. Und gehen. Und der Kreislauf ist scheinbar das Immer der Wiederkehr. Weshalb? Sollten die Vögel für immer es sein? Weshalb sollten die Wasser für immer es sein? Weshalb sollten die Geschenke für immer es offenbaren?

Damit keiner es will?
Dass zu sehen, als das was es ist?
Dass alles schon ist?
Dass nur mehr die Schleier des Hier sich offenbaren,
dass es ist doch nur das Wiegenlied des Immer es ist?

Froh singen die Wenigen. Und dies sind die tiefsten Tränen. Die Frohen sie weinen. Denn sie sehen das Glück. Und sie weinen wie gefallene Engel. Denn sie wissen darum, dass die Menschenerde sich verrückt. Zurück. Unweigerlich zurück. Denn das, was die Freiheit des Liebens ehrt, ist die Gewaltlose Daseinsform des Ewigen Trauens. Des ewigen Spiegels, das Jegliche ist das Licht. Und es sind die mehrenden Samen derer die aus dem Nichts das Gesamte des Allem aus sich heraus zu spiegeln wissen. Sie sind das gekommene Sein. So klein und so leicht. Das Lebende der Sterne.
Das Frauensein lebt bedingungslos inmitten des Körpers des Mannes. Das Mannsein wird reflektiert aus dem lebenden Geschöpf der Weiblichkeit.

Spiegelweltengleich.
Es war das gekommene Gestern.
Spiegelweltengleich.

Das Bergsein der Ewigkeit LIEBE, ist als Offenbarung zu jedwedem gekommen. Zu dir kam ich. Denn ich war es immer. Inmitten deines Herzens, wurde das meine in dich gelegt. Inmitten deines Geistes, liegt das Bewusstsein des wissenden JA als Schlüsselgeber von mir gelegt. Nur mehr loslassen. Denn die Ewigkeit ist. Nur mehr wissendes Fühlen, dass jegliches die Leichtigkeit der Mitte ist. Nur mehr Stille. Denn du wanderst hinfort. Obwohl du der Mittelpunkt der Liebe schon bist. Ist es das nicht zu Glauben wollende? Ist es der Wille in dir, der sich nicht auch nur einmal erlaubt, dass du es bist? Schon bist?

Das Schweigende ist das Lebende. Denn es ist das Schweigen was die Wahrheit niemals öffnet, solange das Gegenüber nicht selbst jedes Wort des Anderen hört. Zweifellos still. Jeder Wassertropfen lebt.

Gott beweist NICHT.
Und Gott erlöst NICHT.
Gott spielt auch NICHT.
Und Gott - handelt - NICHT.

Gott. Nenne ihn Schöpfer oder Licht oder so wie du es glaubst, dass das Leben in sich als Urgegebenes gegeben worden ist. Nenne ihn oder es wie du willst. Doch es ist das UR des ERSTEN GEDANKEN. Es ist das UR des Lichts was das SEIN als solches geschaffen. Und dieser ER/SIE/ES ... ist in einem nur alles. Und er ist alles in einem. Und er ist das gesamte Dasein was ist. Und doch ist er eines NICHT. Spiegelsein der Nichtliebe. Spiegelsein der Not. Spiegelsein des Todes, was von Mensch zu Mensch gebracht. Spiegelgeber für Krieg. Egal was negatives gewesen war und ist - Gott - ist das NICHT. Bedingungslos hat er das Zustandsein als Duales Dasein - erschaffen. Das bedeutet - der Schöpfer allem ist, hat geschaffen das Dunkel gleich Licht. Und hat er geschaffen das Gut gleich das Böse. Doch eines - und dies ist die elementare Wahrheit für alles - ist - war - werde. Dass was LEBENDES IST - IST DAS NICHT. Lerne was du bist. Damit du sein kannst was du bist? Lerne man das, was man schon ist? Was ist es? Niemand weint. Denn sie sind die Furcht die sich in Berge gewandelt. Wie die Steine sind sie. Stein bricht. Jeder. Dann, wenn bedingungslos die Liebe spricht. Und sie **ist.**

Sie ist zurück. Als Hier und Jetzt. Und sie lebt. Und es pocht. Und die Zeit wird das Wunder reflektieren. Denn das KIND ist die Liebe die das EWIGE ist. Und das KIND war das IMMER GEWESENE. Und es waren die Zeichen des Himmels. Und es waren die Worte der Weisen. Und dann war sie da. Und dann war sie JETZT. Und dann kam das Herzstück der Erde. Das ewige Leben berührt das Sein. Das Ewige des Immer als Spiegel für dich. So schenke dein Trauen, denen die sind. So schenke deinen Glauben, denen die sind. So schenke dein Alles, denen die sind. Glaubst du Mensch, dass die Erde das Ewige ist? Glaubst du, dass das Ewige das Manifestierte ist? Glaubst du wirklich, du bist in einem Zustand sein, wo täglich grüßt das Murmeltier? Glaubst du das wirklich? Glaubst du das Gott dement ist? Oder das die Wahrheiten so viele sind, wie es Körper gab und gibt? Glaubst du wirklich, dass das Sein als Sinn das Sinnlose in sich birgt? Sind deine Glaubenssätze so sehr gebunden an Beweispflichtigen Sichtbarkeiten?
Glaubst du, dass Gott dein Sein zu beweisen hat?
Oder Jesus? Oder Engel? Oder glaubst du, dass die Liebe dich überzeugen wird? Dass die Liebe dich zu kaufen vermag? Dass die Liebe dir es erst sichtbar offerieren MUSS? Dass DU SELBST ES BIST. Was - bist du denn? Immer nur werden und vergehen? Der ewige Kreislauf dessen was schon immer war? Ich möchte dir nun eine Wahrheit mitteilen. Das ist es nicht. Denn du selbst kannst es erkennen. Sieh dich um. Die Erde ausgebeutet. Die Erde zugebaut. Die Erde eingeteilt in Grenzbereiche. **Die Erde - die mal - einfach war.**
Ist eine Erde die das zu Bezahlen Habende ist.

Zahlreich lebten und leben sie. Und zahlreich starben und sterben sie. Und sie verhungern. Und sie werden durch andere Hand getötet. Und sie werden missbraucht. Und sie werden vergewaltigt. Und sie werden denunziert. Eingesperrt. Geschlagen. Gedemütigt. Getötet. In manchen Momenten - sofort nach dem sie gekommen waren. Warum? Weil Gott das so will? Glaubst du das wirklich? WER IST DER WILLE? Dieses Dunkel geschehenden? WER ist der Ausführende des dunklen gebendem? WER ist das? WER?

Die LIEBE ist das nicht.
Und das TRAUEN ist das nicht.
Und das LICHT ist das nicht.

Wenn Mensch Handlungen lebt in Gedanken, Wort, Bild, Tat - die Nichtliebe offeriert, dass ist bedingungslos nur eines. Spiegel des NICHTWISSEN was jedwedes LEBEN IST. Spiegel der Ureigenen Not die in diesem Menschen wohnt. Spiegel dessen, was dieses Selbst in sich vollkommen in den Zweifel gebracht hat. Verletztes Sein - erschafft - verletzendes Sein. MACHT nichts? Ja. Es macht nichts. Denn Gott gab eines in alles. LICHT. Doch die Wahrheit ist, es weint das Kind. Es weint so sehr. Denn findet Leben nicht im Lebendsein. Findet selbst nicht, weil es glaubt. Es glaubt das Nichts ist Liebe Gottes ewig. Dabei. Es ist. Inmitten deines Selbst. Zu dir kam ich. Bevor du kamst. Und ich gab dir das Geschenk der Wahrheit. Erinnere dich.
29.06.2018

Dein Trauen ist der Spiegel Erden meines Trauen. Dein Gewahrsamsein dessen was eines nur ist - alles ist es - nur - dies ist deine als meine Wahrheit dessen was das Unsterblich des Allsein ist **Friedensreich** - des Lebenden gleich Toten ist. - .... Schenke dem jedem deine Liebe - denn deines immer das meine ist - so **sind** die **Lichter des Boden - die Lichter des Himmel**.

So finden sich die Wahrheiten als eine nur.
- Es ist das Ewige als Sichtbarkeit - da.
Schönen Tag und - sei es - wirksam. ...
Spiegelbild der deinen Wahrheit - immer ist es –
wir ist eines....

Ewiges als Körper Erden - um für jedes Lebende zu währen ....
15.09.2018

Das wahre Sein

Atmet in alles Frieden.
Atmet wissend weise wirksam.
Atmet die Wahrheit als das Eine nur.
Atmet einfach wie ein federleichtes Dasein Erden.

Die Not war der Tod.
Die gedachte Schuld war das Wiedergefundene
des Unschuldigen.
Das Werden und das Vergehen
erkannten sich im Immer sein.

So schwingt nun das hohe Sein als Wahrheit.
Tiefst in alle Sichtbarkeiten.
Zweifellos das Ewig spricht.
Aus Einfachsein doch Drei sein es ist.

Gott gab Frieden tiefst das Leben.
Schenkte alles zweifellos.
Es ist wie ein Wunder.
Das Schöne der Wahrheit, ES IST.

Klar und rein atmet das Ewige der Liebe.
Sanft und wirksam beschenkt das Licht
als eine zarte Berührung.
Zweifellos da.
Und es ist das Ja.

Was das Geschenkte des Gekommenen war.

Du bist groß, sagt das Ewige.
Du bist vollkommen, sagt das Ewige.
Du bist alles, sagt das Ewige.

Deines ist meines, sagt der Gewesene.
Meines ist in deinem Gedächtnis, sagt der Gewesene.
Deine Liebe ist der Spiegel meiner Wahrheit,
spricht das Gegenüber,
an einem Tag, zu einer Stunde.

Ich bin du.
War, werde.
Warum es ist, ist sonnenklar.
Das Wir des EINS es atmet mitten.
Das wahre Sein, es ist das Ewig.
Immer schon.
Und ewig während.
Eines alles ewig lebt.

Du bist ich,
als schon immer gewesen.
Warum es ist, ist sternenklar.
Das Wir des EINS ist alles IMMER.
Das wahre Sein, wir sind gemeinsam.
Geboren Zwei.
Als Mittensein.
Gemeinsam Eins.
Als Spiegel Erden.
Das Drei, ist Friedensgleich das Ur.

NUR.

HOCHZEIT.

H O CH Z E I T.

H ier **O** rt **CH** ristus **Z** entrum **E** ins **I** mmer **T** iefstes.

Das hohe Lied der Liebe.
Atmet als Ewiges zu Erden.

Gesegnet es ist.
Denn gekommen sie sind.
Das wahre Sein,
das Dreisein Erden ist.

Das rote Band der Liebe.
Wirkend weise, Wahrheit ist.
25.08.2018

Frieden.

Gesegnetes Leben in allem IST. Gesegnetes Gestern war der Gekommene Morgen. Gesegnet.

Doch weint die Menschenerde blutend ist der vage Mut. Doch weinen die Kinder der Sonne. Doch waren sie gehalten im Mond der ewigen Zeit. In jedwedem Atemzug gleich Augenblick. Weinende Gesichter sind der Spiegel der Demut. Wolkenlos die Liebe spricht, du bist es. Das ewige Ganze dessen was Unsterbliches ist.

Zweifellos die Stille spricht. Oh Kind. Oh Kind.
So fühle JETZT das was du bist.
So fühle ES. Es ist gesegnet.
Der jede Schritt auf deinen Wegen.
Geheiligt waren die ewigen Seelen.
Bevor sie kamen um die Erde zu sein.
Bevor die Stunden zu Tagen wurden.
Bevor das Herz der Mittelpunkt des Lebenden war.
So gehe hin du Kind der Ewigkeit.
So gehe doch und sei bereit.
Bereitet lange schon gewesen.
Nur das Körpersein es ist.
Das gibst du SELBST das JA ZU DIR.
Das IN DIR weilt das EWIG IST,
so ist es außen dein Gesicht.
Das Trauen deines Selbst in Jegliches.
Ist tiefst geschenkt der Spiegel Licht.
Ist tiefst so tief, gefunden Wahrheit.

Es ist der Ewig Frieden der es ist.
In dir lebt alles.
Um das Ewige als Spiegelbild zu Erden zu sein.
Mein Glaube in alles.
Denn alles ist der Spiegel dessen was das Meine ist.
So gebe ich frei.

Gleich bedingungslos wissend. Es ist der Segen da. Denn dein ATEM ist. ... Kind, Kinder, Kinderzeit. Das Größte des Kleinsten ist der Anbeginn der deinen Zeit. Ich kann es sehen. Fühlen gleich spüren. Das was du bist. Ist der Spiegel dessen was in allem immer nur eines ist. WISSEN WAS WAHRHEIT IST. IN DIR. Ist AUS DIR. Und eines immer. DU bist ICH. Danke Mensch, dass du auf Erden bist.
19.08.2018

Das Absichtslos des Staubkorn.

Ist das Absichtslos der Wassertropfen.
Ist das Absichtslos von Luftbewegung.
Ist das Absichtslos von Ewigem des Frieden.

Drei des Losgelassen Absichtseins,
binden einend eins zu Sichtbarsein.

Materien Wunder. Ohne ein Wort lebt die Vollkommene Erschaffung von Leben. Ohne ein einziges Wort, erschafft aus dem Nichts das Drei sein das Eins. Ohne je ein weiteres Wort, kommt das Lebende ins Sichtbar. Steine liegen hemmungslos als Grundstücksgeber. Stein auf Bein behauptet sich, dass was ewig fließend ist. Unbeschwert und wahrlich leicht, fühlt das Steinsein Ewigkeit. „Innen bin ich eine Rose." Sagt der Stein, und poltert den Berg hinunter.
Sisyphosine lacht und mit nur einem einzigen Gedanken, bewegt sie den Stein als wäre er eine Feder, schnurstracks wie ein Bumerang zurück nach Oben auf die Mitte des Gipfels. „Sei was du bist, Stein." Sagt sie. „Und schenke mir den Mittelpunkt des Himmels zur Ansicht. Denn wenn ich am Höchsten Punkt der Erde bin, möchte ich einmal durch dich mit meiner Ganzen Lebensform die Obersten Sterne berühren. Wenn nämlich du als Stein, mit mir als Steinbewegende, alles tust damit wir ganz die Erdenkraft bewegen, dann drehen wir alles um. Und du wirst sehen, wir bauen dich in die Unendlichkeit und wir kommen dort an, auf der anderen Seite dieser Kugel.

Obwohl wir nur das Außen und das Manifest Erde bedienen. Denn als Manifest dessen was du bist, bewege ich dich nach Hochhinaus und im Gleichen nach Tief durch alles Dringend. Weißt du nicht mehr liebster Stein, sagtest du doch, - Ja. So ist es. Immer leicht ist es. Und immer nur eines. Fließend. - Und es ist die Leichtigkeit des Gedanken die den Inhalt als Bewegung erfährt. Stein auf Bein ...lieber Stein. Ich trau dir als wärst du ein Trauwunder. Stein auf Bein sag ich, du bist sowas von Wahrheit. Es ist als könnte ich dich aus jeder Verankerung einfach schwebend woandershin verfrachten, ohne auch nur einen Millimeter Beschwernis zu fühlen.
Ohne Absicht?
Kann es sein, dass du und ich in einem Merkwürdigen Zustand sind? Haben wir es bemerkt? Was wir sind?
Haben wir es bemerkenswert erschafft, dass du und ich nur das Gleiche sind? Haben wir das Drei in uns als Eins erkannt, was das Korn des Vollkommen in sich birgt? Sind die Steine alle immer unser Gleiches? Sind die ganzen Kinder Erden, sind sie gleich wie wir ... nur einfach - hier? Um Steine zu bewegen? Was soll eine Absicht sein, lieber Stein? Ist Lebendes eine Absicht, weil es lebt? Ist Absicht ein ABSICHTLICHES? Doch wie macht man denn das? Absicht? AB - nach Unten Sicht? Denn weißt du, mein lieber Stein, als ich es lebte. Absicht über Absicht. Da lebte gleichermaßen die Notsicht. Und die Erwartungssicht. Und die dauernde Enttäuschungs -Sicht. Es war wie als beabsichtige ich etwas, und da wurde mir doch gleich ein Strich durch die Rechnung gemacht.

Ich weiß auch nicht, immer wenn ich erwartete, da wartete ich als gäbe es nur das Zeitenlos im Zeitensein. Denn alles was geschah, ich saß da, und wartete. Und alles was kam, war Nichts. Und als ich absichtlich dann gewartet hatte, da erkannte ich nachdem ich zutiefst versteinert durch die Warterei, nur noch ganz flach atmete, da erkannte ich, wie ich nur eines zu tun habe. Dieses Absichtssein zu sprengen.
Raus aus der Erwartung. Und hinein in den wissenden Strom, dass es nichts gibt auf was man je zu warten hätte.
Meine Wut lieber Stein. Diese Wut war wie ein Überdimensionaler Hut. Als gehörte der nicht mir. Als lebte ich unter einem Hut der so groß war, dass niemals das mein Hut sein kann. Denn dieses Riesen Monstrum an HUT der gefüllt mit WUT ..., da wusste ich irgendwann, diese gedachten Grundstücksgrenzen, die sind nur eines. Gnadenlos das Nichts an Dasein. Denn sitze mal und warte. Und denke dann, ich warte weil ja was kommt. Doch was soll denn kommen? Aus dem Nichts? Nur Nichts? Nun. Ja. Das ist so. Und du zeigtest es mir. Als ich dann endlich bereit war, dir mal zuzuhören.
Absichtlich?
Gebrochen hast du mich. Zersplittert. Und mit einem Hammer zermahlen. Und dauernd hast du gesagt, bleib ruhig. Es ist alles gut. Dann hast du mich herum geschmissen, als wäre ich nichts. Und zum Schluss hast du mir auch noch das Ewig sein als Jetzt Schon mitgeteilt. Ich war so wütend. Denn alles was du absichtlich gemacht hast,

war wie ein dauerndes ... Du wirst es spüren wie es leichter wird ... ganz und gar. .... Dies mich vollkommen zerlegte. Kein Schreien. Kein Wehren. Kein Klagen. Kein Bitten. Kein Nichts ließest du gewähren. Steinruhig. Bliebest du und wusstest, sie wird es lebend sein. Das was die Wahrheit der Liebe ist. Ein Einfaches Absichtslos. Das immer weiß was ist. Und immer weiß dass es ist. Alles. Was Lebendes zu leben gab. Und das was Vollkommenheit als Eines ist.
Das Drei in Eins ...was ewig ist.

Es ist ABsichtIG.
Ja.
Leben ist absichtig.

Tiefst unten geschenktes Dasein.
Sichtlich einfach und bedingungslos.
Gott ... spielt das Lied.
Steige ab, und sichte innen Gold.
Absichtslos. Ist der Körper der Materie.
Aus Staubkorn gefüllt mit Drei.
Liebe ...Licht ... Frieden.

Stein. Du lehrtest mich was wir sind.
Und nun... mein Lieber ...
ganz leicht ... bewege ich Dich, ...
wie eine Feder ....
denn du bist,
ich.

Das EINFACH des Drei sein, ist nicht Absicht lebend. Es wurde lediglich als Absichtlich geboren, um das Wunder des Habendsein in jeglicher Fülle ist das Selbst im Wirklich sein..... wahr und vollkommen als Leichtigkeit zu erfahren.
20.07.2018

Aus dem Dunkel der Nacht. Tritt hervor die Unendlichkeit der Kraft. Binden sich die feinen Geflechte der ewigen Bewussten Wahrheitsform des Lichts. Erfahren die jeglichen Gedanken, dass die Liebe das Einzige ist. Erleben die Fühlenden Wahrheiten, dass die Ewigkeit der Anfang ist. Vollkommen geschöpft. Vollkommen in der Mitte der Ruhe des Lichts. Vollkommen atmet das Lebende die Liebe. Voll, als ganz und gar gekommen, das Ewige IST. Sichtbar. Hörbar. Spürbar. Sehbar. So taste es in allem ist es. So atme es, du bist inmitten. Nichts vermag das Heilsein nehmen. Nichts kann je der Ewigkeit die Friedensvolle Leichtigkeit beschweren. Nur ein Hauch und das Leben atmet. Nur ein Augenblick und das Leben IST. Nur ein sanfter Kuss. Und ganz erschaffen ist Ewig sein als Drei sein Erden.

Schenke meiner Liebe ganzes Trauen. Schenke dir das Gleich des Meinem. So gebe dich, als du bist ich, dich ganz dahin zu Erden. So gebe hin, dass alles ist. So sei das Kind das Lebend ist. So sei der Spiegel dessen was du immer bist. Es ist. Es ist. Und ewig sei das Deine, Meine. Und ewig schenke ich mich dir. Wie schön. In dir die Rose blüht. Wie schön. In dir es schwingt der Ton. Ich höre dich. Höre gleich. Und fühle dass es wirksam ist. So still das Lied. Das Lied der Liebe singt im Einklang Gottes Liebe Erden.

In Nichts atmet Nichts. In Nichts lebt der Zweifel ehrlich. Nur einsam wird Ewig gekreuzigt es bleiben. Nur das Eins was das Andere schlägt. Nur das Eins was sich zweifelnd und mühevoll wehrt. Nur die Einser die glauben, dass sie verloren zu sein. Sind nichts als nur dass, was als die Ewigen waren, die geboren um zu sein. Gebäre dich als Leben selbst. Und sei das Angesicht der Wahrheit immer. Und sei das was du bist als INNEN IMMER. Dann wird das Eins, DU bist das Alle sein. Doch nie. Nie. Ist es das, was die Erde lebt. Denn es ist die brachiale Gewalt die das Menschsein verehrt. Nicht das Einfache wird geliebt. Nur das nicht Fassbare. Nur das nicht Erreichbare. Nur das nicht Erschöpfbare. Denn das Einfache was Liebe ist, ist nicht schwer genug. Und das Einfach was Dreifach ist, ist nicht allein genug. Und dieser Dreiklang als Einklang, scheint nicht echt zu sein. Und doch. Wenn du tot bist. Dann wirst du sagen. ES IST. Und wenn du weg bist aus deinem Körper, dann weißt du was die meinen Worte dir sagten. Doch du bist. Und die Erde voll mit gleich dem Du.

Und es ist der Einklang des Gesamten, was des Menschenerde Wahrheitssein in allen Variationen spricht. Doch ist es wie es ist. Du wirst. Und jeder wird. Das Gleich des Gleich zu Leben bringen zu haben. Dass es nichts ist außer Liebe. **Dass es nichts ist außer Licht.** Dass es nichts ist außer Ewig sein. Meine Liebe fühlt dich in allem. Und mein Licht wird immer mit dir sein. Und doch ... ist es der Wunsch des jedweden Kindes. Dass es JETZT im Immer ist. Dass die Liebe lebt. Dass die Liebe atmet. Dass die Liebe es weiß, DASS SIE IST.

A(r)men

Für die Liebe gegeben.
Aus dem Immer des Jetzt ....
tritt hervor die Unendlichkeit der Kraft.

20.07.2018

Mein Dasein. Ich schreibe von Gott. Und die Menschen glauben ich sehe den alten Mann mit dem Bart. Oder ich sehe sonstige Person als ein Inbild dessen was eine Personifizierung benötigt? Glauben erschafft dein Sein. Denn dass, was du glaubst, dass ich schreibe, ist die Interpretation dessen was du glaubst, dass du weißt, was ich selbst in diese Worte lege und oder als dass, was sie in der Wahrheit einfach nur sind. Wenn Gott für dich zu einem Bild als Person führt, in dir - und somit als Gedanke und Antwort aus dir, dann ist das deines wie du es wahrzunehmen vermagst. So ist es mit allem. Gott. Wer ist es? Was ist es? IST ES? Oder ER? Oder ist es SIE? Oder ist es das NICHTS als solches? Sehe in meine Augen und fühle die Energie die es ist. Erkenne das was dich flasht, ob im Guten oder im Bösen. Und wisse bedingungslos eines. Egal ob ich spreche mit dir, oder ob ich schreibe. Es ist immer eines. Meines. Und solange es dich nicht bedingungslos als JA in Resonanz bringt, ist es nicht das, was uns als WIR im Gleichen als Gleiches reflektiert. Weder Religion noch sonstiges an Götzen mannigfaltigem Brauchtum, ist das was Gott ist. Nichts von alldem was seit Jahrtausenden zu Milliarden Schriften zur Verfügung gegeben wurde ist wirksame Wahrheit, die dir den tatsächlichen Spiegel dessen offenbart, was dein Selbst genau wie meines, und das jedwede Lebende erschuf. Nichts davon, wenn es Bedingungen in sich birgt, außer den Bedingungen die das Bedingungslose der Liebe verkörpern. Dieses Steinherz im einfachen Weges Boden. Einfach da. Einfach so da. Das ist Sinnbild Gott ist da. Überall ist Gott. In allem und mit allem. Nichts ist nicht Gott begleitet. Nichts und niemand, ist nicht im Dasein der Ewigkeit und zwar IMMER. Erdensein ist LEBEND-SEIN. Körper - LEBT endlich. Nun erfahre, dass dein Dasein wirklich unendlich ist. Das ist der Lebens GRUND warum lebst du. Perlen vor die Säue. Schön dieser Satz. Mein ganzes Leben bin ich das Schwein, das die Perlen sammelt. Und das wundervolle an diesem ganzen, Ich will nicht Hören, - Drama Erde, ich will nicht sehen - Drama Erde, ich will bloß nicht erkennen - Drama Erde, ist ... es ist wenn man es tut - und zwar bedingungslos, es ist in nichts mehr jemals mehr ein Drama. Eher so, wie ein Schauspiel. In dem man mittendrin ist, und weiß, um sich herum lauter Schauspieler. Und dabei alles die gleiche Art von Schwein, wie ich selbst. Ein Schwein erkennt die Perlen. Glaube mal nicht das wäre nicht so. Und wenn es so kommt das ein Schwein und ein Mensch sich als gleiches erkennen, dann ist der gesegnete Wandel vollzogen. Es bedarf eines Wandels. Und zwar innen. In jedem selbst. Das jedwede Selbst darf sich vollkommen entblößen. Vollkommen hingeben. Und vollkommen auflösen.

Bis nichts mehr bleibt. Außer was? Wenn das Selbst sich selbst loslässt, und immer noch atmet, was erkennt ein Selbst dann? Es ist unmöglich. Nicht zu sein. Es ist unmöglich, nicht dass wahrzunehmen was vollkommen vorhanden ist. Die Essenz eines Selbst erfährt sich ab dann, als Essenz des Jeglichen Lebenden. Denn es ist durch die vollkommene Hingabe - dem Nichts mehr - das Ur der Kraft plötzlich da. Das Ur des Seins plötzlich alles. Das Unsterblich dessen was das Selbst als solches lebend sein lässt. Es ist nun das Präsente IMMER. Selbst geboren aus dem Nichts mehr. Selbst und doch nur WIR. **Gott ist. Und Gott liebt.** Denn die Liebe ist das was Lebendes gebärt. Die Liebe ist das was Unsterblichkeit ist. Die Liebe ist das was Ewigkeit bindet. Die Liebe ist der Anfang und das Ende. Und das was ein Körper ist, ist der Zeitraum des Spiegels.
Lieber Herr Jesus. Wenn es dich gab. Sag ich nur eines, Du bist der einzige Mann der je war, der das lebte was Liebe ist. So wirklich und endlich. Bis zu deinem Ende. Warst du da. So schön. Ich danke dir. Denn dein Sein, ist mein Sein. Post scriptum:
An alle Lebenden. Ohne Selbstreflektion bedingungslos, keine Selbstliebe und damit Selbstheilung. Während dieses Prozesses geht es hammermäßig zur Sache. Denn das Angelernte was die Menschenerde schenkte, aus dem Glauben des Fehlglaubens heraus, dass sitzt wie Zement innen wie außen. Man darf Steine klopfen und zermahlen lernen. Und man darf sich zum Schluss hin tatsächlich selbst aufgeben, um endlich dort anzukommen wo die Essenz des eigenen ist.

Dort lebt die Wahrheit. Die welche alles in allem bindend eint. Und dort findest du als Schwein, was du dann gerne bist, all die vielen Perlen, die wundervoll, jede einzelne ist. Und dann, wenn nichts mehr ist, dann bist du dort wo die Ewigkeit spricht. Und für immer, dann. Für immer der Spiegel der Liebe, die dich als sein Kind geboren hat. Wer ist es nur? Der liebe Gott? Schau in dich. Schau um dich. Öffne dein Herz und deine Augen. Öffne deinen Geist und öffne somit die Türen deines TRAUEN. Und du wirst es lebend sein. FRIEDEN und WISSEN. Das dein Glaube DER Glaube ist. Der dich geboren, aus bestem Wissen und Liebendem Gewahrsein.

Es war mal ein Gedanke.
Es werde Licht.
Und dann war es.
LICHT.
Alles.
Mehr ist es nicht.
Doch auch niemals ein Funken weniger.

11.07.2018

Die Liebe Gottes. Gleicht der Liebe des Selbst aufs Haar. Ist der geschenkte Spiegel der Unsterblichkeit der Seele. Ist das geschenkte Trauen, dass ein Körper es zu finden weiß, während eines Lebendsein auf Erden. **Die Allmächtigkeit des Lichts der Liebe**. Sie ist der Gral der alles bindet. So finden jegliche Wahrheiten ihren Glauben. So finden jegliche Sünden ihre Wahrheit. Und es werden die einzigen Worte sein, die die Liebe zu sprechen hat. Das es ist gesegnet das Sein in allem. Das gesegnet ist der In und Ausdruck des Jedweden Lebenden. Denn es ist der Segen des Selbst der das All eins in allem bindend eint. Der gesegnete Moment ist das Geborensein als Mensch. Denn es kamen die lebenden Engel um das Inbild der Liebe zu künden. Und sie kündeten den Gral des Eins. Um der Reinheit der Jedweden Seele die Stunde zu schenken. Das Erkennen der Bedingungslosen Daseinsform Leben ist das Erfahren der unsterblichen Daseinsform Selbst. So weinten sie die strahlenden Kinder, als der Glaube gebrochen lebte, um das Trübsal der Erde zu mehren. Frei und willig geschenkt, wurde das Dasein der Liebe als Mittel zum Zweck gelebt. Denn es bekamen sie nicht das Genug. Denn es erhielten sie nicht den Beweis. Denn es kam ein einzelnes Zweifeln, was die Freiheit nicht glaubte, die dem Freisein den Segen versprach. Was als Selbst es fruchtend einte, dass Bedingung das Maß der Bereicherung sei. Dass Bestimmung das Maß der Zuwendung sei. Dass nur Machtgebrauch das Erdensein zu Leben brachte. Was es war ist nie was es ist. Was Gott sprach ist nie was gesprochen.

Was Liebe ist, ist nie dass, was Religionen als Heil verkaufen. Groll ist nicht Religion. Gott ist nicht der Glaube, dass der Sturm die Sühne ehrt. Und nicht, dass der Zorn die Liebe ernährt. Gott gab nur eines wirksam. Er schenkte ein Kind. Sein Kind was bedingungslos den Segen lebte. Was bedingungslos die Liebe sprach. Was bedingungslos nur eines war. Vergebung. Tiefst barmherzig. Einzigart als Mensch zu Erden. Körper der sich findend einte mit allem Drei sein Gottes Eins. Als Dreiklang Erden, tiefst zu lieben. Das Jegliche tiefste Tal zu gehen. Das finsterste als Liebe sehen. Dies war der Weg den Jesus ging. Nie anders. Nie er sagte, dass Gott der Rächer oder Zorngewalt. Niemals als nur die Liebe. Nur dass, und das als Ewigkeit.

Der Tempel Gottes ist die Erde.
Und nicht ein Götzenbild ist er.
Und nicht ein Wort was Zorn und Sühne.
Und nicht ein Tun was gegen Liebe.
Sein Sohn, er war und ist.
Ein Mensch und doch nie Mensch als Wesen.
Ein Körper, ein Gesicht.
Und doch das Sinnbild jeglicher Liebe.
Es gibt kein Ende, ohne Anfang.
Und es gibt kein Leben ohne Sterben.
Es gibt nur Ewiges.
Und doch, leben es die Menschen nicht.

Zutiefst Tränen. Zu tief gefallen. Denn Gott ist lebend immer wach. Nie ist er nicht, dort überall. Nie ist er nicht, sogar im Dunkel. Denn seine Hand ist Urgewalt. Denn seine Liebe bindet Frieden. Doch finde es.

Doch finde es. Dann wirst du selbst es lebend sehen. Dass nichts es ist was Sterbend ist. Nur Wahl erlebt die Erde. Nur Wahl als Qual, denn Lebendsein als Körper, es darf erst selbst das Inbild Ewig tief entdeckt im Selbst es werden. Erst dann wird Lebend sein der Himmel. Und nie. Nur nie, es ist die Hölle. Als alles geboren aus der Bestimmung. Aus der Bestimmung um andere zu gebrauchen. Um andere zu führen, um andere zu manipulieren. Um Glaubenskriege zu fabrizieren. Wenn der letzte Zweifel gestorben, wird Frieden sein zu Erden. Doch es sind die Unzahl der Zweifel. Und es sind die Unzahl der Nichtglaubenden, denn nicht Wissenden. Und dieses ist die Unzahl der Freiwilligen, die geboren waren um zu sein.

Das was sie sind.
Zu Erden aus dem tiefsten des Ewig.
Zu Erden in einem Körper als Kleid.
Zu Erden kamen sie und sind.
Und doch wissen sie nicht.
Und doch leben sie nicht.
Und doch glauben sie nicht.
Denn sie wissen nicht was sie tun.
Gott ist Liebe.
NUR DAS.
Und in deine Arme legte er alles.
FÜR DICH.
A(r)men
Aus dem Dasein der Liebe gebar in einer Stunde
das Leben einen Körper.
Und es war die Liebe erwacht.
10.07.2018

Aus der Zeit gefallen. Inmitten des Nichts dieses Lebens. Inmitten des Atems des Ewigen was eine Seele ist. Inmitten dessen, was dem Geist als Gegenwart erklärt, zu empfangen als Das bin Ich. Der Körper lebt. Atmet. Ist. Aus dem Gegenstandslos kam ein Etwas des Lichts. Ein Nichts was man zu fassen vermag. Und ein Nichts was als Manifestation als Gegenständliches vorhanden ist. Ein Körper. Und doch nur ein Licht. Ein Körper, und doch nur ein Gefühl. Ein Körper. Ist der Körper der Mittelpunkt der Erde? Der Körper. Er ist ein bedingtes Dasein was Werden beschreibt und was Seiendes ist. Und doch ist es das Vergehende mit jedem Atemzug der ist. Körperzeit ist Lebenszeit. Es braucht und es benötigt. Atem und Essen. Und Trinken und im Kreislauf der Zellen die das Manifestierte sind, da ist es das Aufnehmen und das Abgeben. In einem Fort. Zu jedem Tag. Zu jeder Nacht. In jedem Augenblick des Körperseins, ist Geben, Nehmen, dass was ist. Still atmet Baum und Blume. Still atmet das Blatt des Baumes. Und auch der Vogel, gleiches das Eichhörnchen. Der Schmetterling gleich der Borkenkäfer. Die Fische. Und die Insekten, alle. Die Bienen. Und das Pferd, der Hund, das Schwein, die Katze. Alles der Tierwelt, alles der Pflanzenwelt. Alles was Natur ist. Atmet still und ist. Nur das, was es ist. Bedingungslos lebend, obwohl es nie gesagt wurde, ich will? Es ist nur das Vermutende der menschlichen Gehirne, das sie sagen, ja. Ein Tier fühlt? Ein Baum fühlt? Eine Rose fühlt? Was denn? Dass es Leben ist, was Natur und Tier ist? Kann ein Baum sprechen? So sichtbar doch. So sichtbar es ist. Und doch sagt man, ein Baum spricht.

Dass, obwohl diese Erde der Menschen sich abschlachtet, verurteilt und in Massen tötet. Selbst tötet. Bäume auch. Und Tiere auch. Ja. Denn ein Lebendes was nicht spricht, hat kein Gewicht? In der dualen Daseinsform dieser Menschenerde, ist das so. Was ist es wert? Ein Leben? Kann man es bezahlen? Man versucht es. Es zu bezahlen. Und es besser zu machen als es ist. Geht denn besser als Vollkommen? Ist das so? Ja. Im Dasein meines gesamten Lebendsein, und nur dass, was ich selbst wahrzunehmen vermag, ist das was ich bezeugen kann, da ist das so. Denn um als Mensch in einer Zivilisationsgesellschaft zu leben, da muss man bezahlen, für alles. Als ich jung war, war ich genauso alt wie jetzt. Und als ich geboren wurde, waren die Erdenzeiten nicht mehr erfassbar, denn es waren 47ooo.000.000 Milliarden? Jahre schon vergangen. Als ich geboren wurde. Wie oft denn noch? Das war wohl mein Ansatz als ich diesmal kam? Denn ob ich schon war? Ja. Wahrscheinlich ein Baum. Ein Stein. Eine Blume. Eine Ameise. Ein Vogel. Ein Rabe. Eine Taube. Ein Schmetterling. Ein Hund. Ja. Und ein Schwein. Menschlich war ich wohl auch vertreten. Denn es kamen im Wieder dieses Lebens, Bilder aus Vergangener Zeit. Weit reicht das Auge wenn die Wahrheit sieht.
360 Grad. Und es ist wie ein Wissen, das alles schon das Gekannte birgt. Denn das Geistsein erfährt die Bestätigung. Der Mann der ich war, lebte den gleichen Segen wie ich. Und im Gleichen wie er, lebt die Absichtslose Wahrheit des Lichts in meinem Dasein jetzt zu Erden. Fast 50 Jahre lebte ich nun, um alles zu lernen was Leben ist.

Und genauso lange lernte ich, dass der Tod einfach nur nichts ist. Es scheint so als denken das alle hier auf dieser Erde. Denn nur so erklärt sich das Abschlachten und das Kriegsgeschehen seit Urzeiten im Miteinander dieser Menschheit. Denn Gewalt und Verbrechen finden statt, als wäre der Tod, ein Nichts. Nun. Es ist ja auch so. Es ist nur Nichts. Und es ist nicht veränderbar, dass dies so ist. So lügen, betrügen, schlagen, missbrauchen, unterdrücken, manipulieren, und töten letztendlich Menschen andere, nur damit sie ihre Rechte die sie glauben, dass sie sie zu vertreten haben, dass diese leben und sich mehren und nähren, an denen und durch die, welche halt kleiner sind, oder weniger sind, oder nichts sind? Warum es ist? Ist eigentlich ganz egal. Es ist nur eines welches für mich relevant ist, ES IST. Dies ist Zustand dieser Menschenerde. Das Miteinander dient dem Füreinander. So bezahle die Luft die du atmest. So bezahle dafür, dass dein Körper überhaupt lebt. Wolltest du das? Willst du das? Wurdest du, wurde ich gefragt? Vorher?

Als Baum sage ich ja.
Als Stein sage ich ja.
Als Rose sage ich ja.
Als Tier sage ich ja.
Als Mensch sage ich ja.

Doch dieses JA trägt nur eines in sich. Bedingungsloses WISSEN dessen was ich war, bin, sein werde. Und es ist Nichts. Dass was mich je beeindruckt hat, oder wird. Außer einem. Und dies ist bedingungslose LIEBE.

Geben ohne Erwartung. Denn Seele und Geist lebt nicht als Erwartendes. Seele und Geist sind bedingungslos vollkommen einfach nur eines. Unsterbliches Licht das immerwährend ist. Das Miteinander des wirklichen Lebendsein ist das freie und unbeschwerte Gegeben sein. Das Vergebene ist schon vorhanden. Denn es wurde alles gegeben. Und es ist alles im Hier gleich im Jetzt. Das Endliche des Körper sein. Es ist ein erfüllendes Wissen, dass es nur eine Zeit ist. Es ist ein Geschenk es wahrzunehmen was der Schöpfer des Lebens als Gegebenes schon bereitet hat. Und es ist letztendlich nur eines. Der Körper ist der Spiegel des Lichts. Auch wenn er das Werden wie das Vergehen ist. Diese Zeit die ein Körper ist, ist das Geschenk der Dreifaltigkeit. Dass das Unsterbliche als Sichtbarkeit ist. Das gegebene Versprechen. Ich komme wieder.
Ja. Ich kam. Und ja, ich bin. Und ja, ich gebe alles. Und ja, ich kann es. Und ja, ich bin der Spiegel der Liebe. Und ja, ich bin der Spiegel des Lichts. Und ja, ich bleibe in allem nur eines. **ICH**. **I** n **CH** ristus. Denn er ist ich. Das WIR ist mein ICH. Und eines immer. Die Liebe spricht. Das ist alles was ist. Gefallen um es einfach zu sein. Das was ich bin. Ja. Ich bin es, Gott. Denn du bist der Vater meines Seins. Und nur das Drei sein als Eins sein, hat in meinem Dasein Gewicht. Das ist mein Glaube. Das ist mein Wissen. Das ist mein Gewahrsein. Und das ist mein Unsterblich sein. Gott, Vater, Heiliger Geist. Ohne Glaube lebe ich. Denn ich bin der Glaube der mich erschuf. Aus dem Ur des Seins, spreche ich das was durch mich fließt. Niemand kann das Meine leben. Denn jedem es ist - selbst - gegeben.

Doch niemand, kann mich je bekehren, dass aus mir Zweifel spricht. Denn zweifellos ich weiß was ist. Und zweifellos ich lebe ewig. Und zweifellos ich schweige still. Wenn Tod und Krieg sich schlagend wehrt. Wenn Menschen hassen, und sich töten. Wenn Menschen alles tun, um zu bereichern. Wenn Menschen andere missbrauchen. Und schlagen. Und unterdrücken. Es ist endlos. Die Geschichte der Not. Genauso lang die Liste vom Tod. Dauernd. Und ewig? Wer weiß. Irgendwann die Erde auch ist tot.
Die bedingungslose Leichtigkeit. Ist der einzige Weg es zu ertragen? Dass die Menschen leben was sie glauben dass sie sind? Ja. Kann sein. Denn wenn ich bin was ich bin, bin ich das Leichte. Und ich bin das ewige Wissen das mein Trauen das Trauen ist. Und immer lebt der Atem der Vollendung. Und ewig spricht das Dasein JA. Vielleicht, ich bin gar kein Mensch? Sondern der Schmetterling? Der sich sonderbar pupertiert hat? Was tut die Liebe wenn Nichtliebe ist? Nichts. Gar nichts. Sie ist still. Und sie bleibt ruhig. Denn sie weiß, was die Wahrheit ist. Dass es ein Ende gibt. Auch dieses Leben wird es leben.
08.07.2018

Echt. Ohne Schnörkel. Ohne Tabus. Ohne Alles außer eines. LIEBE. So wie Gott mich gab, bin ich. So wie Gott mir das Leben schenkte, so schenke ich dem Leben das was Gott in mich legte. Für die Liebe lebend. Und in allem nur eines. Bedingungslos der Spiegel der Wahrheit. Bedingungslos das Drei sein in Eins sein. Bedingungslos und zweifellos. Das Licht der Ewigkeit es IST.

Und ich gebe das Gesamte. Und ich bleibe das Gesamte. Denn mein WIR ist das Gesamte. Zart wie eine Feder. Doch schwinge ich in die Höchsten Berge, um sie bedingungslos sanft zu durchfließen. Aus dem Geist des Ewigen wurden meine Worte geschöpft. Und es ist das Ewige der Liebe die mich führt, nährt und vorhanden sein lässt. Niemals war ich es nicht. Und niemals werde ich es nicht sein. Denn ich bin das Kind das lebend ist. Atmet und es schwerelos zu schenken weiß. Dass die Liebe alles ist. Dass die Liebe das Inmitten ist. Dass es nur mehr eines ist. Bedingungslos gebe ich den Frieden des Jedweden der war, ist und werde, dem Jedweden der war - ist - werde, in das Gedächtnis der Wiederkehr. In jedem liegt das Gleiche Wissen was ich lebe. In jedem der war - ist - und sein wird, sind meine Gedanken das Urgebende dessen, was alles als Lebendes in der Essenz bindend eint. Mein Wir ist das Symbol des WIR. Denn es ist Seele und Geist der Wahrheit, was mein Wort als aus Gottes Licht gegeben, macht. ER gab mich. Ich gebe das was ER mir GAB. Nur das ist die Wirklichkeit. Es gibt nur Liebe. Dort wo die Ewigkeit als WAHRHEIT lebt. Der Fehlglaube der Menschheit ist gesammeltes Gedankengut aus der gelebten Erfahrung durch Nichtliebe. Dies ist - NICHT - das Wesen des LEBENDEN. Dies ist lediglich das Wesen des Körperseins. Jeder Mensch KANN AUS JEGLICHEM AUFERSTEHEN. Und jedes Geschehen was überlebt wird - ist - möglich in die Wandlung und Genesung zur Heilung und damit IN BEDINGUNGSLOSE VERGEBUNG ZU BRINGEN. Doch ist es Unwahrheit, dass Zweifel von Gott oder sonstigen Himmelswesen erlöst werden.

Doch ist es Unwahrheit, dass Jesus Christus für die Menschen gestorben sei. Doch ist es Unwahrheit, dass ein Mensch mit Licht und Dunkel zu leben haben muss. Doch ist es Unwahrheit, dass es Gut und Böse auf Erden zu geben haben muss.

DAS SIND ALLES SCHEINWAHRHEITEN DER DUALITÄT.

Alles Negative was es gibt, ist bedingungslos aus dem Gedankensein - von Fehlglaubenden Menschen erschaffen. Dies sind nicht Handlungen aus Seele und Geist. Dies sind nur Handlungen aus menschlichem Glaubens-Verstandes-Denken. Gott - erschuf die Erde - gleich jegliches was Lebendes ist, bedingungslos in sich GANZ und VOLLKOMMEN. Der Frieden der Welt - beginnt - in jedem einzelnen Leben. NUR dort - wo die Ur Essenz des Lebenden weilt, dort ist der Frieden der schon IST - wieder zu finden. Sich selbst durch Reflektion mit allem Selbst Erfahrenem zu HEILEN. Niemand ist allein. Denn jeder ist DREI. Niemand ist nicht heilbar - von allem was gelebt wurde - denn die Essenz des Jedweden ist niemals - zu zerstören oder auch nur zu verletzen. Nicht mal der Tod. Nein. Nicht mal der Tod gibt einen Grund, dem Zweifel zu erliegen. Denn es gibt dort wo SEELE und GEIST sind - nichts anderes als UNSTERBLICHKEIT. Der Atem der Liebe spricht. Frei und willig. Und wenn du es willst, hörst du es. Meine Worte sind in dir- deine Essenz. Ich fühle nur eines.

Bedingungslose Leichtigkeit. Denn ich weiß, es ist alles gut. Und jedes Herz das bereit ist - sich selbst und allem zu vergeben, wird es lebend erfahren. Das alles - in allem nur eines ist. LICHT. Danke heißt ich liebe dich.

23.06.2018

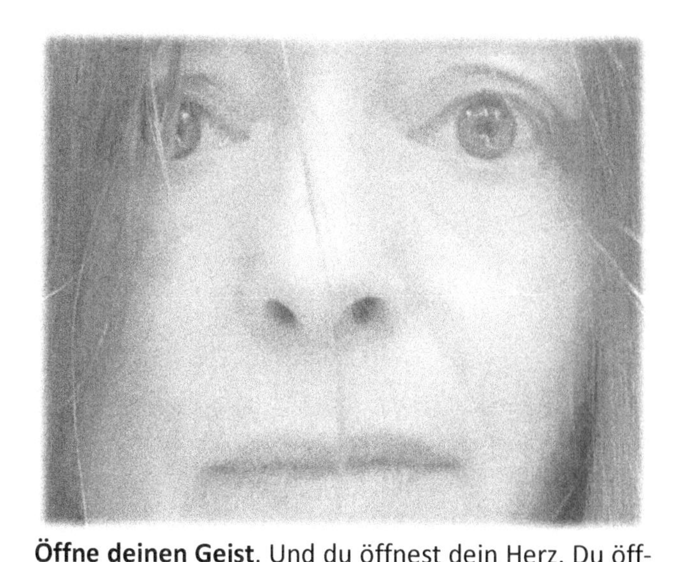

Öffne deinen Geist. Und du öffnest dein Herz. Du öffnest deine Seele. Und du öffnest dein Leben. Die Rose. Sie lebt ohne Dornen. Denn die Dornen sind die wegweisenden fühlenden Wahrheiten, dass alles sich bindend eint. In nur einem. In nur einer einzigen Wahrheit die für alles und jedes Lebende ist. Es ist alles Liebe was ist. Und es ist alles Licht was alles in allem in trauendem Dasein das Jegliche erfahren lässt. Für immer und ewig. Nur. Nur UR ist das was alles ist. LICHT.
Bedingungslos atmet der ewige Frieden als Zeitlos des IMMER JETZT. Dein Steinsein darf sich fließend erfahren. Dein gedachtes Glaubensgut das Liebe auch das nicht beschreibt, es darf sich lösend von dir geben. Dein fühlendes Dasein von Not, es darf sich frei und losgelassen finden, dort wo die Fülle der Unsterblichkeit wohnt. Dein Schmerz ist deine Heilung. Aus deinem Sein erwächst der Samen ewig.

Du bist das Gold des deinen Weges. Du bist geschenktes Gottes Trauen. Du bist um wahrlich DU zu sein. Es ist das Deine Selbst es geben. Es ist das nur Vorhanden Deines Selbst es. Es ist dein WIR was alles ist. Denn deines ist im Gleich das Meine. Ich weiß du kannst es. Und ich bin hier, um dir es zu zeigen. Dass dein Sein die Liebe ist. Dass dein Licht das Licht ist. Dass du das Gleich des Allem bist. Unsterblich. Schön. Frei. Ewig. Bedingungslos Liebendes. Danke. Für jeden Tag. Für jede Nacht. Für jeden Atemzug und Augenblick. Es ist die Leichtigkeit der Liebe, die die Mitte des Schwerelos ist.
23.06.2018

Für dich, bin ich auf Erden. Für dich, schenke ich dir alles. Für dich, gebe ich das Gesamte ich bin. Für dich, Mensch. Ist die Wahrheit die meine. Es ist alles Liebe das ist. Es ist alles Licht aus den tiefsten Meeren der Ewigkeit. Es ist alles gesegnet was ist. Für dich, Mensch. Gebe ich die Worte als Samen. Gebe ich die Wirklichkeit des Jeglichem bekannt. Gebe ich aus dem Bewusstsein der Göttlichkeit zu Erden. Gebe ich mich hin. Für dich Liebe. Bin ich. War ich. Werde ich. Denn du bist ich. Schon immer und für immer.

Für dich Liebster. Schenke ich dem Lieben Wahrheit. Das du es in mir immer bist. Immer warst und immer sein wirst. Du bist ich.

Für dich Diana.
Lebe ich es. Denn du bist das ehrende Gewissen.
Du bist der Wahrheitskern.
Du bist die Sonne meines Herzens.
Du bist der Mond der meine Sinne streichelt.
Du bist das Gold des Kalbes Gottes.
Du bist der Gral der lebend weint.
Du bist die Ehre wirksam da.
Es ist gesegnet jeglicher Schritt.
Es ist geschenkt der Augenblick.
Es ist die Wahrheit offenbar.
Es ist das Kind der Liebe da.

Für dich,
Gott.

Danke Vater.

07.06.2018

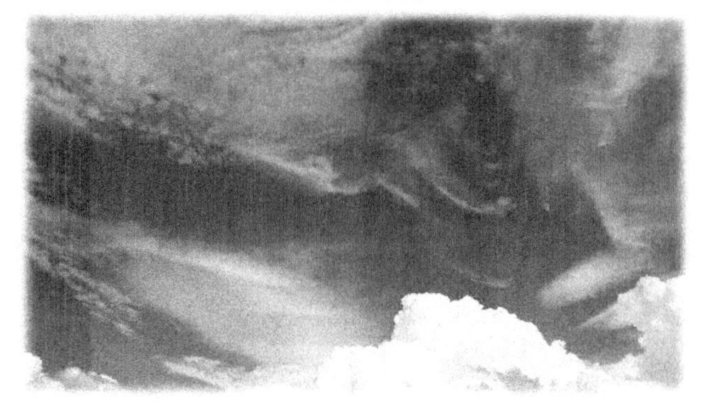

Aus der Stille geboren. Unendlich atmet Liebe. Unbeschreiblich sind die Gefühle der Ewigkeit als bewusstes Dasein zu Erden. Geboren um zu sein. Liebe. Licht. Unsterblichkeit. Und dies in der Zeit, die geboren wurde um als zeitenlos sich in die Wirklichkeit zu gebären.

"Atme mein Kind. Atme und sei.
Gebe dich als Gesamtes des Himmels
in die tiefsten Schluchten der Erde.
FÜR SEIN. FÜR LIEBE. FÜR LICHT. FÜR HOFFNUNG.
FÜR GLAUBE. FÜR TRAUEN. FÜR WAHRHEIT.
Für ... wir."

Für dich lebe ich. Bin ich. Gebe ich. Schenke ich. RUFE ich. Und bin in allem tiefster FRIEDEN. Berührung des Zeitlos. Berührung der Unendlichkeit. Berührung deines Daseins. Das ist mein Sein. In allem und mit allem. Für alles und durch alles. JA. Ich weiß. Ja. Ich weiß, wie es ist. Ja. Ich kann es erfühlen das Gesamte der Lebenden, die je waren, sind und werden. Es ist die Stimmung der Gelassenheit. Und es ist die Wirklichkeit der Wahrheit. Und es ist meine Liebe. Die es trägt, fühlt, gibt, beschenkt. Das was du bist.

"Oh Engel der Welten. Oh Engel des Zeitlos.
Oh Engel, du. Die im nie ein Engel war.
Und doch. Und doch. Geboren du sie alle hast.
FÜR die Engel zu Erden.
FÜR die Ehrlichkeit des Lebenden da.
Dass Ur der Engel spricht in goldenem Fluss
zu allen die es zu hören vermögen.

Zu jedem der bereit ist zu schenken.
Für die Gesamten. Und doch nie nur dem Einzel.
Für die Ganzen da.
Um ohne Zweifel der Erde zu dienen. "

"Wo bist du. Geliebter. Wo bist du. Geliebte.
Wo ist es. Geliebtes.
Wo sind die wortlosen Wunder
in der Wahrheit des Allem?"

„Immer da wo du bist. MENSCH.
Immer da wo du bist.
BIN ICH MIT DIR.
Auch wenn du mich zweifelst.
Auch wenn du mich ablehnst.
Auch wenn du glaubst,
dass es mich niemals gab und gibt.
ICH BIN IN DIR. IMMER.
Denn mein Gewahrsam
HAT DEINEN GEIST GEBOREN.
Als Kind meiner Liebe.
Als Kind meines Lichts.
Als Kind des KINDES,
bist du das was hier als Körper lebt.
Zweifellos schön.
Zweifellos wissend.
Zweifellos geboren um zu sein.
Und nur eines du bist.
Unsterblichkeit die atmet."

Weißt du das? Oder glaubst du nur, dass du das weißt? Geschenke darf man annehmen. Doch man kann es auch lassen. Es ist immer dein Wille der spricht. Ich bin für die Liebe auf Erden. Und das bedeutet für dich. Aus dem Urwissen der Ewigkeit wurde mein Sein geschöpft als bedingungslose Liebe des Drei. Geboren als Mann, um in sich die Frau zu ehren. Geboren als Frau, um in sich den Mann zu ehren. Und immer war es Gott der Gebende. Und immer ist es Gott der gibt. Spreche einmal mit der Natur. Und spüre wenn du in Leichtigkeit und Selbstverständlichkeit mit dem Wind lebst. Und mit dem Regen und der Sonne lebst. Und mit den Tieren lebst. Und mit den Bäumen, Blumen, Gräsern lebst. Tu es einmal und du wirst es fühlend erkennen. Nichts ist getrennt. Gar nichts. Und auch nicht das Körpersein als solches. Alles ist eines nur. Lebendes Dasein das in allem verbunden ist im Ineinander und Zueinander. Um ein vollkommenes Miteinander zu leben. Zeitensein der Sichtbaren Liebe. Denn nur hier. Nur als Körper lebst du endlich. So lebe endlich. Und fühle dass du in allem nur eines bist. Unendlichkeit, die JETZT vorhanden ist. Mein Geschenk ist Freude. Gleich ich schenke dir Mut. Und ich schenke dir Glauben. Denn aus dem tiefsten Glauben wurde ich geboren als Kind des Schöpfer allem ist. Mein Beweggrund ist Wahrheit. Das Wahre der Wirklichkeit aufzuzeigen. Mein Wir spricht ewig. Denn aus meinem Wir alles gesprochen was ist. Für das WIR der Erde gekommen. Um als Wir der Liebe vollkommen es zu sein. JA. Nur JA. Und es ist das wundervolle Gedicht. Denn die Augen der Liebe, lügen nicht. Es geschieht ein Wunder.

Sichtbar. Und du wirst es fühlen. Wenn du bereit bist zu sein. Nur eines für diesen Tag der das Rosensein als solches offenbart. Es ist das Dornenlos was Wahrheit ist. Aus tiefstem Herzen fühle ich du bist. Und es schenkt der Wind JETZT einen Hauch. Von mir. Zu dir. Denn es ist immer nur die Liebe, die spricht.
21.05.2018

JA.

Für immer unendlich.

Es ist GESEGNET ALLES IST.

DANKE.

19.05.2018

In der Mitte lebt der Frieden.
So leicht finden sich die Wahrheiten in allem zu einer. Es ist nur das Gesamte was die Wahrheit ist. Und es ist nur das Einzige was alles ist. In der Mitte der Liebe ist es das Schwerelos. Und es ist das pochende Herz der Ewigkeit. Die die Samen legt in jedes Leben. Die Geschenke atmen, wenn die Menschen es fühlen. Die alles in einem nur sind. Der tiefste Frieden der sich bindend eint. In dir. Und in mir. In uns und in allem das lebend ist. Ja. Ich liebe es. Ja. ich bin es. Ja ich gebe es. Denn ja, ich will es. Und ich singe es. Das Lied. Das Lied was in meinem Leben liegt. Es heißt Liebe ... Und es fließt. Tag wie Nacht. Aus jeder Pore ich bin. Und es ist die Schönste Geschichte der Erde. Denn das Lied der Liebe pflanzt den Himmel inmitten der Erde. Danke.
Glücksein ist Dreiklang als Einklang.
18.05.2018

In jedem Augenblick. Ich fühle tief das bist du da. Mein Atem spricht in deinen Worten. Und ganz, vollkommen ganz wir sind das Ewig. So schön und ohne Zweifel. In mir es liegen alle Zeiten. In jedem Leben, dass es gab. Und weiter noch als jegliches Dasein, verloren sich die Unsagbarkeiten. Doch Liebe vermag, was das Ewige ist. Und so kamen sie alle, und sie wussten wer sie waren. Und es sangen die Engelsscharen. Und es wurde das Lied der Lieder benannt. Es wurde das Dornenlos geboren. Denn das Liebende ist das Ewige des Lichts. Zweifellos singen sie. Zweifellos leben sie. Zweifellos, es ist gesegnet. Zweifellos und wie eine Feder. Gehen sie auf goldenen Wegen.

Spüren sie die Ewigkeiten zu Erden. Erfüllt der Glanz der Schönheit als Spiegel den jeglichen Augenblick. Atme und sei. Und es ist ein Liebendes, das als Körpersein geboren ist. Drei sein des Einklang. Alles ist das Gesamte des Einzig Gedanken. Es werde Licht. Und es ward. Ja. Es ist. ... Danke G. ... ich liebe dich.
18.05.2018

Es war das Nichts was mich zu Erden brachte. Denn es ist das TIEFSTE der LIEBE die das Nichts als vollkommen Gefülltes hinzugeben wusste. Aus dem UR des LICHTS wurde der Grund des Gesamten geboren. Ich bin ES. Das was der Spiegel der Liebe ist. Still bin ich. Denn die Erde weint. Still gebe ich das Wissen, es ist alles gut. Denn die Leiber sie wehren und weinen. Still fühle ich wie die Wahrheit sich mehr und mehr in Samen gelegt zu einer Offenbarung eint. Es ist der Mut Gottes der mich Gebend sein lässt. Und es ist die Liebe des gesamten Ursein des seiner Wahrhaftigkeit, die mich in allem führt und bedingungslos den seinen Frieden verkörpern lässt. Mein Atem gespeist aus seiner Bewandnis. Mein Geist vollkommen offen und sichtbar als Spiegelbild des seinem Gegebenen Leben.

Meine Seele ist das goldene Fühlen was in jeglichem lebenden Wesen die Wirklichkeit ist. Meine Liebe ist das Licht. Denn mein WIR ist das Drei sein der Ewigkeit. Geboren um zu sein. Ja. Ich bin ES. Demut und Stille. Dankbarkeit, dass mein gesamtes Leben in allem das Segensreich erfährt. In Nichts lebt der Zweifel. Denn ich wurde als zweifellos geboren. Still bin ich. Denn nur so, kann ich die Menschen hören. Und aus dem Stillsein der Liebe, vermag es ein mancher, mich in sich als Lebendes zu erfahren. Danke. Ich gebe, denn ich bin. Gottes Kind der Liebe tief als Erde das Leben.
11.05.2018

Rückwärtsgang. Ohne Zweifel. Geht man mit dem Dasein anderer, geht man mit im Gleichen Sumpf der andern Nöte. Geht man mit ins Dasein ihrer Ängste. Geht man mit durch alle Sammelsurien. Obwohl der Sumpf das NIE es WAR. Ist man in der Kommunikation - ist man in der Notwendigkeit dauernd Antwort zu geben. Ist man dauernd in der Situation sich selbst zu rechtfertigen. Das was Selbst gelebt wird, bereit zu stellen und im Dauernd Energie aufzuwenden anderen zu zeigen, Hallo, ich lebe das nicht so wie du es mir in einem Fort zur Verfügung gibst. Mein gesamtes Leben tat ich das. Dauernd und dauernd durfte ich andern es aufzeigen, ich lebe zwar auf der gleichen Erde wie du, und ich lebe in allen gleichen Außenbedingungen, doch ich lebe es eben NICHT wie du. Es ist wie eine globale Verseuchungs - Strategie was Menschen für Menschen aufgebaut haben. In jegliche Richtung und in jeglicher Form. Das Körpersein wird verseucht durch alles was es im Sichtbaren durch Menschgemachtes gibt. So lässt es sich nicht mal mehr feststellen was ist - was einfach nur ist - es wird sofort ohne das ein Augenblick von Ängstlichkeit des Selbst dargestellt wird, es wir bedingungslos interpretiert - und das ist wie eine Mauer die dann ganz einfach da zu sein hat - dass der welcher diese Feststellungen macht - in der Gleichen Daseinsform dies ERLEBT wie der andere der es hört. Menschen LIEBEN ES DUAL ZU LEBEN. Menschen lieben es - zu zweifeln was sie erleben. Menschen lieben es - anderen im Andauernd keinen Glauben zu geben. Und Menschen leben - in allem nur eines. Sie leben als sind sie nur das Fleisch - und sonst nichts.

Rückwärtsgang. Definitiv. Und sofort. Für mich - bedingungslos - JETZT und - für das Morgen dessen was alles in sich birgt. Facebook ist ein globaler Spiegel von Wortgedanken Dasein dieser Bevölkerung der Erde.
Doch das, was sich sinnig - oh weh ... ja. So sinnig spiegelt ist die IMMER währende Macht der Lebenden als NICHTGLAUBEN, des nicht wahrhaben wollen, des unsäglich ängstlichen Kindes - was in all diesen Accounts steckt. Ich schreibe eine Geschichte, oder ein Buch, nur genau über diese Zeit die ich hier in Facebook war und bin. Das - weiß ich seit heute Nacht. ... Denn dies ist das einzige warum ich selbst - hier bin. Um zu schreiben. Und weiterzugeben. Dass was ich wahrnehme an Geschehen. Persönlichkeit. Ist das bestimmende Dasein von einem Selbst. Und eines ist sicher. Zeigt man auch nur einen Zustand von Nicht - es ist ein Vollkommener Zustand, was ein Selbst zu erfahren hat, - geschieht HIER nur eines. Es wird - gemaßregelt - es wird umgedreht, es wird als nicht neutral gesehen - so wie es das Selbst - zur Verfügung gibt. ES mitzuteilen - ETWAS - und es einfach nur als eine WAHRHEIT auszusprechen - ohne selbst es als negatives Dasein von einer Nichtannahme als JETZT Zustand eines Lebenden Dasein anzusehen und es auch zu erleben,
es ist - bedingungslos - Zeitvergeudung von tatsächlicher Zeitvorhandenheit in einem Körper, dies weiter zu tun. Und ich hör auf damit. Denn ich fördere das was insgesamt - diese Menschen Erde in allem lähmt. So dass sie in den einzelnen Leben - nicht in die Veränderung kommen dann. Sondern ich gebe Raum und Resonanz dorthin, wo ich selbst nicht mehr lebe.

Offensichtlich ist. Wenn Menschen im Außen andere tatsächlich benötigen, sind diese Menschen - aufgeschmissen - und es gibt kein Miteinander. Es wird nur Miteinander gelebt - wenn die eigenen In sich liegenden Nöte - beantwortet - und genährt weiter werden. Wenn man nun - im INNEN keine Nöte jedoch lebt, sondern lediglich das Außen - diese Hilfs Unterstützungen im Jetzt im Miteinander glaubt erfahren zu können, dann erfährt das Selbst, was offen - seine Anliegen zur Verfügung gibt - nur eines, NULL oder so gut wie NICHTS .... als Resonanzen. Ist auch in sich sehr stimmig - nimmt man es ganz genau unter die Lupe. Denn ich lebe keine Not. Obwohl im Außen kein Brot. Und genau deshalb – gibt es auch kein Boot. Das den Weg für das Selbst unterstützt. Meine Energie zeigt - alles ist gut. Warum sollte also - irgendjemand außer ein paar ganz Wenige darauf überhaupt reagieren? So sinnig das ist. Und es zeigt bedingungslos eines. Ich bin auf dem besten Wege auf dem ich sein kann. Doch eines zeigt es auch. Ich bin definitiv außen vor. Inmitten des Lebensdaseins dieser Erde.

Und lebe stimmig mit Natur und Tier - und Gott.

Doch eines wahrhaftig nicht. Mit so gut wie keinem Menschen - erfahre ich das was ich selbst lebe. Heißt. Ich bin ein Stein. Und ich bin ein Baum. Und ich bin ein Tier. Doch eines wahrlich ganz bestimmt. Ein Eremit. Und dies nehme ich nun als definitive Wahrheit zur Kenntnis. Und werde für das Heute - gleich das Morgen - gleich das Übermorgen, es nun - noch mehr - zurücknehmen. Und dies - um meiner Selbst Frieden Willen. Bei mir bleiben. In meinem WIR.

Denn nur dort bin ich das was ich bin. Nur dort bin ich wirklich das, was Gott gegeben hat - als jedes Menschenkleid was ist. Und nur dann wenn ich im Außen - nicht es lebe - das ich dauernd anderen es ermögliche aus dem was ich mitteile ...eine Flut von - Gegenargumenten herbei zu zaubern, kann meine Energie als solches - die Menschen IM INNEN ihres UNBEWUSSTEN helfend begleiten. In der dauernden Konfrontation und gegenseitigen Austauschgeschichte, ... da wird eines nur geschehen. Sie nähren das was ich ihnen zeigen will, das es nicht notwendig ist für Sein. Mein geistiges GUT ist geschenktes von Gott. Denn aus seinem Geist, den er in mich legte als sein Kind, gebe ich. Und aus seinem in mich gelegten Inhalt heraus lebe ich. Der Spiegel dieser Erde der Menschen ist das Abbild - von Zweifel und Angst. Ich kam um genau das zu benennen was seit Urzeiten fehl läuft. Das was die Urbestandteile sind - und das was die Menschheit damit MACHT. Ich bin das nicht. Das was da überall als Leben erfahren wird. Und ich bin es auch nicht, die dies weiter unterstützt. Ich bin nur für eines da. Es aufzuzeigen - für all die - welche bereit sind in sich es wahrnehmen zu wollen. Brotlos ist das was ich tue. Sehr sinnig. Denn Gott speist mich. Warum sollten es die Menschen tun. In diesem Sinne. Rückwärtsgang ist geschaltet. Und mein Gebendes ist das was ist. Immer nur die Wahrheit derer die es nicht wahrnehmen wollen. Gott ist Liebe. Ich bin Liebe. Doch eines bin ich wahrlich nicht. Inmitten derer die leben. Das bin ich definitiv nicht. Und eines - sehr sicher. Das will ich auch nicht. Mein Spiegel ist das Wasser. Sind die Bäume.

Sind alle Pflanzen und alle Tiere. Und es ist das Licht. Im Inneren in den Urbestandteilen des Jedweden Lebens, sind die Gemeinsamkeiten immer da. Und aus diesem Grund lebe ich glücklich inmitten dieser Menschenerde. Denn ich weiß, dass jeder das Gleiche ist wie ich. Seele und Geist in einem Körper. Doch - und doch - sind wir es nicht. Denn sie leben es nicht.
Das was ich bin.
02.05.2018

Das Manifest der Liebe. Ist die Sichtbarkeit des bedingungslosen Vorhandensein der Schöpfung. Liebe die lebend ist, spiegelt die Schönheit der Sterne ganz unten in den tiefsten Tälern der Erde. Es ist ein nicht zu veränderbares Dasein des Trauen, welches jeglichen Widrigkeiten ohne sich in Verletzung zu begeben, zu begegnen weiß. Liebe ist in sich in allem sicher. Und sie vermag das Jegliche im bewussten Frieden zu erfahren. Liebe die manifestiert lebt, ist in allem gehalten. Und wird aus allem wie aus Zauberhand gespiegelt. Leicht und zart bewegt sich die Liebe, selbst dann wenn es im Dauernd sich stürmend und tosend verhält, dass was als Im Nebenan und Im Überall Dazwischen sich suchend befindet. Aus dem Oben sind die Sonnentropfen wie kleine Wunder gefallen. Um aus dem Selbsterleben die Wahrheiten als das bedingungslose Gleich des Jeglichem zu einem einzigen Vorhandensein der Wirklichkeit zu erhalten. Alle gleich - um alle gleiches zu sein. Jegliches Lebende Herz ein Wunder der Ewigkeit. Und jeglicher losgelassen Schmerz, ein Wunder der Selbstheilung.

Und jeglicher entschlüsselter Zweifel, ein Wegweiser der Einzigkeit des Jeglichen Lebenden. Unsterblichkeit IST. Und nicht erst wird. Unsterblichkeit ATMET. Und nicht erst wird. Unsterblichkeit LEBT. Und nicht erst wird. ES IST schon. Und nicht es wird erst noch. ES IST IMMER ES. Und nicht es wird noch ein paar Leben dauern. ES IST IMMER NUR DAS SELBST LEBENDE. Und nie - etwas anderes. **Das Manifest der Liebe ist das Finden der Liebe als Manifestation des Lebenden.** Die Erde ist das gesamte Werk eines Gottes. Des Schöpfers des Himmels und der Erde. Mein Gott ist Dein Gott. Denn jegliches ist aus dem Gleichen Ursprung geschaffen. Ich tanze, denn ich bin ein Manifest. Des Gottes Liebe Erden. Wie eine Feder und wie eine Vollkommene Blüte. So ist mein Dasein das wissende Vorhandensein der Reinheit. Im Regenbogenland der Himmel - Erde.
Hier sind die Wurzeln die mich aus dem Ewig sein in die Sichtbarkeit als einen Körper schufen. Bedingungslos einfach. Und bedingungslos allwissend. Bedingungslos vorhanden als das was ich bin. Ein Sternenfunken, sichtbar. Ein Berührendes Manifest als Glaube. Und ein unbestechliches Manifest an Wahrheit. Als Berg erschuf er mich zu Erden. Dass ich es spiegelnd zeige, was ein Berg denn ist. Als Stein erschuf er mich zu Erden. Dass ich es spiegelnd zeige, was ein Stein denn ist. Als Meer erschuf er mich zu Erden. Dass ich es spiegelnd zeige, was ein Meer denn ist. Als Blume erschuf er mich zu Erden. Dass ich spiegelnd es zeige, was eine Blume denn ist. Als Tier erschuf er mich zu Erden. Dass ich spiegelnd es zeige, was ein Tier denn ist.

Als Mensch erschuf er mich zu Erden. Das ich spiegelnd es zeige, was ein Mensch denn ist. Mein Name ist Liebe. Und auch nennt man mich Frieden. Manche sagen auch Licht zu mir. Und Gott nennt mich Kind. Und meine Liebe nennt mich Engel. Das Manifest der Liebe ist die einzige Form einer Kirche. Ein Gebäude der Liebe ist das Vorhandensein der gesamten Erde. Der Himmel ist das Dach dieser Erde. Und ich weiß, dass mein Sein gesegnet ist. In jedem Augenblick und Atemzug. Bin ich Gottes Kind auf dieser Erde. Ich tanze, denn ich liebe es. Das meine Seele lebend und bedingungslos gebend alles ist, was mein Körper gibt. Ich tanze, denn ich liebe es. Das mein Geist lebend und bedingungslos gebend alles ist, was mein Körper gibt. Ich tanze in einem Ring aus Feuer. Und es ist wie ein Traum. Ich erfahre, dass kein einziges mich zu verbrennen vermag. In Demut und Dankbarkeit. Das menschgemachte Angstsein - ist das gewesene Sein. Für immer Liebe. Dafür kam ich. Und BIN es. Das Wir als Die Liebe ist das Ganze in einem Drei zu allem Eins.
24.04.2018

Dies was ich bin
ist wie der Wind
wie das Wasser
wie die Sonne
wie die Erde

wie der Mond
wie die Sterne
wie das Leben
denn ich bin es
wie das Sterben

Vollkommen
das Unendliche sein

Spiegel der Liebe auf Erden

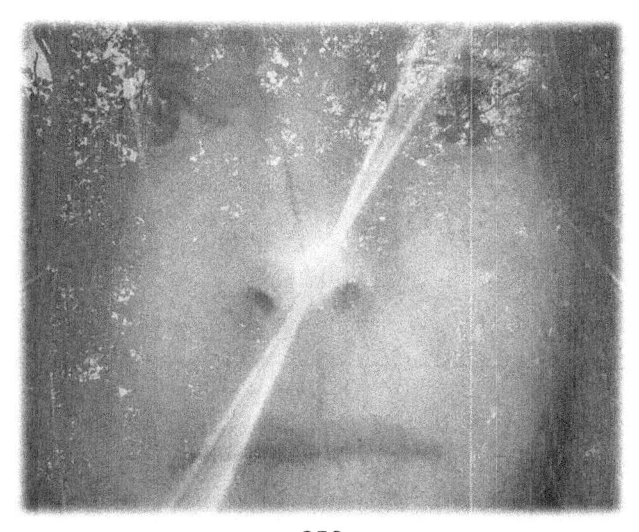

Die Menschenerde. Ist dein Verhalten das, was es sein KANN? Ist dein DASEIN das, was der Spiegel der LIEBE ist? Ist das was DU BIST in allem FREI und in ECHTEM MITEINANDER lebend? Bist du ein Brauchender oder ein Habender? Bist du ein Gebender und ein Nehmender? Oder bist du ein Gebender und ein Erhaltender? Oder bist du gar ein Schenkender und ein Beschenkt werdender? Das letzte ist das LEICHTESTE. Das letzte was du tun wirst ist das Leichteste was du IN ALLEM deiner Lebenszeit erfahren hättest können. Denn du warst auf dieser Erde ein GANZES Leben, und hast immer gedacht, es ist mit einer gewissen Schwere versehen, was Lebendes beschreibt. Und im Letzten Moment wo du dann ENDLICH dich HINGIBST, wenn dann der Tod dich mitnimmt, dann wirst du in irgendeinem Moment einfach NUR NOCH LOSLASSEN. Und in diesem Augenblick wird dich eine unbeschreibliche LEICHTIGKEIT durchströmen. Doch es ist ein sehr kurzes Geschehendes Erleben. Das LEICHTE DES INMITTEN DER HINGABE. Denn du bist ja kurz vor, oder schon im und Währenddessen deines ÜBERGANGES ... in das KÖRPERLOSE SEIN. Dann bist du bereit. Loszulassen und LEICHT ZU SEIN. Und dich dem was ist, einfach HINZUGEBEN. Wenn man stirbt, wird es bedingungslos leicht. ALLES. Denn es verschwindet die Schwere die sich so monumental im Selbst des Körpers einverleibt hat. BIN ich hier um schön zu reden? BIN ich hier um schön drum herum zu reden? BIN ich hier um dich stark zu machen in deinem BRAUCHTUM? Bin ich hier um dir deine Wunden zu lecken? Bin ich hier um deine Schmerzen zu huldigen?

Bin ich hier um MIT DIR die Schwere zu frönen? Ich bin hier um meine Schönheit zu offenbaren. Und ich strahle wie von selbst in schönsten Farben. Und ich gebe die Schönheit meines innen in allem als Geschenk dem Außen. Meine Schönheit ist vollkommen. Und meine Schönheit ist in allem frei und niemals veränderbar. Mein Schönsein ist der Spiegel der Schönheit die mich erschaffen hat. Ich schenke dem Tod gleich dem Leben Schönheit. Ich schenke dem Baum gleich der Blume, gleich dem Tier, gleich dem Mensch meine Schönheit. Das schönste meiner Schönheit ist, sie lebt bedingungslos im Fluss der EINHEIT des Schöpfers als sein Geschöpftes. Und als ein Geschöpf der UR-SCHÖNHEIT bin ich ein schöpfendes Gefäß, was im Immer aus dem Fluss des Ewig sein zu schöpfen weiß. Schwerelos schöpfe ich das Sein aus dem Unsichtbar in das Sichtbar. Ohne Schwere gebe ich das was ich wahrnehme und was durch mich fließt aus mir wieder zur Verfügung. Ein Einfaches leichtes Gebendes, ohne einen Hauch von Schwere in sich. Das ist das was mein Tun in sich birgt. Wie kann es geschehen? Das ich lebend bin in einem Körper, und bin vollkommen in der Leichtigkeit des Seins. Inmitten der Beschwernisse der Menschen die es gibt. Sind es die Körper die das Schwere vermitteln? Ist das Gewicht zu viel? Sind die Körper in allem zu sehr verhaftet, mit dem Boden aus dem sie geboren wurden? Der individuelle Weg der Lebenden. Jeder so wie er braucht und es haben will. Sehe man das Menschen Erdengeschehen an als das was es ist. Es sind da Körper die leben. Mal mehr, mal weniger gelingt es, ein Gleichmaß an Mittensein auszuleben. Sie werden geboren. Da sind sie noch frei und unbeschwert. Dann leben sie die prägenden Jahre. Und LERNEN für das Gesamte Leben meistens - wie es IN ALLEM sich wiederholen wird. Stein für Stein sammelt sich an INNEN. Stein für Stein liegt in irgendeiner Ecke herum INNEN, und es zieht seine Kreise GANZ von ALLEIN. Dass das ERFAHRENE im KINDSEIN sich bedingungslos SOFORT und auf EWIG(was ein Endliches ist im Gedankendasein eines Körpers), in allem was sein wird, zu spiegeln dann weiß. Vom Baum und der Blume, vom Vogel und vom Fluss, sind wir da dann meilenweit woanders vorhanden. Wie als wäre dann der Körper festgekettet. Obwohl er sich doch frei herum bewegt. Die Steine dienen dann als Erdgravitation dass das Körpergeschehen sich immer schön zurecht zu finden weiß. Man weiß zwar was ein Blume ist, irgendwann. Und man weiß auch, dass es Tiere als solches gibt, und man kennt dann fast alle mit ihrem Namen. Und man liebt es sogar, dass das Wasser in der Natur so wundervoll stark und fließend nur ist. Doch man kommt nicht zu dem Schluss, dass das Gleiche was da als Natur ist, oder als TIER ist, dass dies das SELBST in allem spiegelt.

...

Jeder geht seine Wege. Jeder hat seine Wege selbst zu gehen. Gehe du in meinen Schuhen, dann weißt du was meines zu sein gewesen hat. Das INDIVIDUUM soll SEIN erfahren um das Gesamte als seines ERKENNEN. Wenn ich sage - **der Schuhspruch** - ist die Allgegenwart der **ENTSCHULDIGUNG**,

denn jeder KANN nur SELBST es IN SICH ERKENNEN, was DAS ZU GEHENDE BEREIT GEHALTEN HAT UND HÄLT, dann sage ich im Heute - bedingungslos JA.
Es ist eine Entschuldigung. - Und zwar von dem - der sagt, lass mich in Ruhe, du weißt nicht was ich zu tragen hatte, geh du mal in meinen Schuhen. ....Pffft .... Ego des Körpersein/ EHEMALS gelerntes Vorhandensein einer SCHEINBAREN Wahrheit, (obwohl sie in der Echtheit des gelebt Erfahrenen - in nichts zu widerlegen ist), zeigt sich da gnadenlos wirksam da seiendes.
Die Schnecke verschwindet aber in ihrer Geschwindigkeit zurück in ihrem Haus aus Kalk. Und es bleibt nach dem Spruch der Schuhe, eine kleine Weile ein Schweigen, zurück.
Fast wie ein Vakuum liegt nun über dem Gesamten.
Der der es sagt, ist in sich "eingeschenkt".
Der der es hört ist, in sich "eingetreten".
Denn da bleibt ja nichts mehr als still zu werden.
Weil das individuelle Dasein des Jeden, ja bedeutungsschwanger, alles selbst nur in das Achtungserweisende lebt. Da trennen sich dann selbstverständlich die Geister. Und man sagt dann, Hmm. Ja. Also, ich will dir nicht zu nahe treten, ja. Du hast recht. Denn wer kann schon wissen was der andere zu leben hatte und hat. Und dann verstehen sie sich wieder. Denn plötzlich wird dann eine Harmonie gespürt, die die Körper wieder im Miteinander dann sein lässt. Doch die Schneckenhäuser, bleiben da. Und die eigenen Schuhe sowieso. Und das Individuelle erst recht. Sind wir nicht wunderbar im EINS vereint?

Wir verstehen uns prächtig.
Wir lecken uns gegenseitig unsere Wunden.
Und wir leben gemeinsam unsere Bedinglichkeiten, die wir alle jeder auf seine Weise erfahren DÜRFEN. Wir achten den anderen wie uns selbst. Und wir geben den Beweis in die Resonanz, genauso ist es. Und kann sein, in dem Augenblick geht dann ein WIND übers Land, der das Ganze auch noch bestätigt. Und 3 Vögel fliegen zwitschernd vorbei, die das auch noch manifestiert als Wahrheit zeigen. Und dann gehen wir wieder jeder seiner Wege, und machen weiter mit unserem Gewicht das aus der Kindheit gefüllt wurde mit lauter schönen Steinen, die zwar da sind, doch ausgefragt werden sie nicht.
Weil es ja bedeuten würde, das eine gewisse Schwere die kam als der jeweilige Stein sich innen einnistete, das die sich dann als etwas Bewegendes in einen Fluss geben könnte.

Dazu das Folgende:
Ist es nicht bezeichnend, dass die meisten Menschen einen Stein als Undurchdringlich betrachten. Das man ein Gebirge oder Berge als solches, wenn sie für Hürden und Hindernisse im Leben betrachtet, dass diese als ZU ÜBERWINDEN, angesehen werden. Es ist ein FUNDAMENTALES GLAUBENSGUT DER DUALITÄT, dass dies IN DIESER FORM GEDACHT UND WEITERGEGEBEN WURDE UND WIRD.
Solange ich etwas überwinde - bin ich in der Annahme - dass es manifestierte Trennung - beschreibt. Etwas ist abgegrenzt. Ich muss darüber steigen.

SEHE ich den STEIN als das GLEICH an wie MICH SELBST, überwinde ich nicht, sondern DURCHDRINGE ihn. Ich DURCHDRINGE, DURCHFLIEßE, ich gehe ganz in der HINGABE in das STEINSEIN auf, und fühle wie LEICHT ich in diesem STEIN bin, wie ich durch ihn vollkommen durchgehen kann, wie es ein SELBSTVERSTÄNDLICH ist, das der Stein und Ich ein Eins nur sind.

Und ich spüre, während ich ihn durchfließe, dass es immer meine Weichheit ist, die sich in der Weichheit des Steines spiegelnd zurückgeben wird.

**Somit gebe ich jetzt ein neues Gedankengut in die Lebenden. Das mit dem Schuh, oder den Schuhen,
ist ein ALTER HUT.**

Das mit dem Überwinden - von Hürden und Hindernissen im Leben, gleich den Gedankenformationen das Berge und Stein an sich, als nicht zu durchdringen, sondern zu ÜBERSTEIGEN sind, ist auch ein SEHR ALTER HUT.

Gnadenlos IST GNADENVOLL.

Nondual.

Dass ist das was alles ist. Obwohl kaum jemand das erfuhr und erfährt. Also. Dass jetzt es mal anders sein KANN, bin ich eine die das aufzeigt. ES gibt bestimmt noch mehr wie mich, die das genauso tun wie ich. Bedingungslos gnadenlos die Wahrheiten zu einer Einzigen offenbaren. ALLES LICHT. Alles DURCHDRINGBAR, DURCHFLIESSBAR. In ALLEM INMITTEN DASEIEND. ALLES IN ALLEM EIN GLEICHES. Keiner außen vor.

Das mit dem individuellen Weg. JA. JA. JA. Jeder darf es tun. So wie alles es ist.

FREI IM SELBST ERFAHREN WERDEN DÜRFEN.

Doch es lebt ein Scheiß Zustand seit Ewigzeiten unter den Lebenden. Bin kein Schwarzmaler, denn ich lebe vollkommen FREI im Dasein der LEUCHTENDEN FARBIGKEITEN DES REINEN LICHTS ...was sich wunderbar spiegelt in allem ich lebe. Doch ich wurde geboren, um erstens jegliches Farbegeschehen zu leben und zu erkennen, um dies dann als Bildgebendes, zu spiegeln. Aus dem Erkennen lernen der Farben, und dem Zusammenspiel meines TUNS damit, lernte ich die WORTE zu geben, die sich in den Farbigkeiten befinden. Irgendwann, landete ich dann dort wo, das tiefste Schwarz sich eingefunden hatte. UND das was das grausame des Gnadenvoll ist, Ich ATMETE IMMER NOCH. Was blieb mir übrig außer - dem Dunkel in allem das MEINE LICHT ZU SPIEGELN? Denn es war ja - bedingungslos - spürbar, ich sehe was obwohl alles schwarz nur ist. Auch der letzte kommt an, das dachte ich mir, in dem Moment wo es im ganz unten in Mir ums fundamentalste Dunkel ging es anzusehen und aufzulösen. Auch der letzte Depp erkennt was Wahrheit ist. - Dies bedeutet - ich meinte mich mit diesen Gedanken. Denn da war kein Jammern mehr, da war kein - Du weißt ja nicht was ich zu leben hatte, da war kein WEICHEN mehr möglich. Kein Verstecken hinter einem Gedanken, der mich als solches - entschuldigen könnte. Ich wusste in diesem Augenblick - wo ich im Nichts mehr stand, wo ich bedingungslos mich in all meinem Dunkel da mittendrin war, und dies voll bewusst, ES FÜHRT KEIN WEG VORBEI. DU LEBST! IMMER NOCH! Grausam war - ist - muss sein - die RUHE. Die der Spiegel der Wahrheit ist. Wenn Mensch erkennt, dass er nur eines ist. UNSTERBLICHKEIT. Und das SEELE und GEIST - vollkommen RUHIG SIND IMMER. Egal was der Körper auch glaubt das sei, oder ist.

Bedingungslos wurde ich geführt. Das ist mein FÜHLEN UND WISSEN. Ich wurde geführt, mein gesamtes Leben. In alles, durch alles, mit allem, um GENAU DAS ZU ERFAHREN WAS ICH HEUTE LEBE.

Das Gefäß ist mein Körper. Es ist die Hülle die meine Seele und Geist in sich beherbergt. Doch das was ich weitergebe, ist das was mein Geist und meine Seele als WAHRHEIT der ALLMÄCHTIGKEIT GLEICH DES ALLVERBUNDENSEIN der Wirklichkeit SPIEGELT.

Mein Schreiben ist reinste FORM der SCHÖNHEIT.
Doch ist das Schöne Sein, das nicht vorhanden sein, in den meisten Lebenden dieser Erde.

Warum sollte ich also lügen? Oder es schön reden?
Oder es schön malen? Wenn doch das was Menschen leben, alles andere als schön ist? Ist denn die Menschen Erde ein Spiegel der Schönheit? **Ist denn das Miteinander ein Spiegel der Leichtigkeit?** Ist denn der Mut zur Selbstwahrheit so klein? Sind denn die Steine im Innen so groß? Ist das WIRKLICHSEIN so grausam?

Warum leben es die Menschen denn nicht? Das was bedingungslos in jedem Selbst verankert ist? Das bedingungslose Sein der Leichtigkeit zu Erden?

Ich weiß, dass ein jeder es tun wird. Und ich weiß auch, dass es keine Zeit gibt. Somit jeder es tun wird dann wenn er in der Bereitschaft ist, es zu tun. Mein Atem ist Gleichmaß. Und mein Atem ist Liebe. Und mein Atem ist reinstes Licht. Und Gott sagte, du KANNST ES. Deshalb ging ich und lebte es. Damit ich JETZT HIER BIN. Als WIR des SEIN. Und mein Wort ist sein Wort. Wenn es dich berührt, ist es deines. Sei dir dessen bewusst. Und wenn ich dich liebend berühre, dann fühle, dass es ein Spiegel der Liebe ist, die sich in diesem Augenblick das JA ...WIR SIND... das EINS... des ALLEM ... verkörpert ins Sichtbare. Es gibt keine Trennungen. Und es gibt keine Neins. Und es gibt auch keine Beschwernis. Es gibt nur eines. In der Mitte der Liebe ist es schwerelos. Und die Mitte der Unsterblichkeit ist immer das was in dir ist. In dir liegen die ALLES IST EINS - WAHRHEITEN. Denn Gott hat dich nicht anders erschaffen als mich. Frei fliegen meine Gedanken durch das Erdensein der Lebenden. Und es sei was es ist. Und es wird sein was es ist. Denn es war immer nur eines was ist.

Es ist immer nur Liebe was ist.

A(R)MEN. Den ARMEN gegeben um das Reich der Ewigkeit zu ERFAHREN. ... Jetzt ... und Hier.
07.03.2018

Ich erwachte in einem Traum. Denn ich erfuhr, dass das Leben ein Spiegel der Liebe ist. Und es sind die Wahrheiten der Lebenden die das, was als Geschenk gegeben wurde, in allen Leben wirkend sind. Der Spiegel ist genau das was Dualismus des nicht glauben wollen erschafft. Es zu leben anders. Es zu fühlen anders. Es zu sein anders. .... Nicht mehr im Mittensein derer die dem Zweifel erliegen, es ist ... wie es ist. Es ist - immer nur Liebe was ist. Mögen die Herzen es fühlen. Das sie sind um zu sein. Denn die Erde ist Liebe. Und die Erde ist wunderschön. Und es ist wie ein Geschenk, dass ich weiß das mein Sein ein Unsterblich nur ist.

Doch nicht der Körper es ist.
Es ist die Seele, die es ist.
Und es ist der Geist, der es ist.
Und es ist die Liebe, die es ist.
Und es ist das Licht, das es ist.
Das was ich bin.
Meine Stille ist Frieden.
Denn ich weiß, wer ich bin.

22.04.2018

Ich kam um zu leben.
Doch dann lernte ich, dass der Tod das Leben prägte.
Und ich lernte, dass ich viele male sterben durfte,
bevor ich endlich auferstanden bin.
Ich lernte, dass es unmöglich ist, mich zu töten.
Und ich lernte, dass es nur 2 Wege gibt.
Entweder ich will - oder ich will nicht.
Beides geht. Doch nur eines lebt.
Der Wille.
Und ich wollte es.
Lebend erfahren.
Liebe.
Licht.
Freiheit.
Ewigkeit.
Wie ein Vogel bin ich.
Wie ein Stein bin ich.
Wie eine Blume bin ich.
Wie ein Berg bin ich.
Wie ein Meer bin ich.
Gesamt - wie die Erde bin ich.
Und wie der Himmel bin ich.
Denn dieser hat mich geboren,
um unsterblich zu sein.
Ich atme tief in die Leben.
Alles ist gut.
Alles ist Liebe.
Alles ist Frieden.
dann - wenn du es bist.
Danke.
11.04.2018

Die Wahrheit ist gebunden frei.
Die Echtheit
ist das bedingungslos Einfach Gegebene ist.
Die Wirklichkeit ist das Drei sein des Eins.
Die Einzigheit ist das Gesamte des Lichts.
Die Schönheit ist der Spiegel des Lachens der Liebe.
Die Unsterblichkeit ist der verkörperte Frieden.
Nur eines.
Und doch alles.
Es ist.

Ostersonntag 01.04.2018

Mein Name ist Liebe. Geboren aus dem Licht des Ur.
Gekommen aus dem Sternenstaub der Ewigkeit.
Unsterblich gebe ich die Wahrheit der Lebenden.

Zweifellos schenke ich dem Jedem den Mut des Gebens. Bedingungslos erfährt sich mein Atem im Einklang des Jeglichen. Berührend bin ich das einfache Sein. Um berührend das Jegliche des Einfach zu beschenken. Die Kraft die mich speist ist die Kraft des Ewigen Lebens. Das Wissen das ich verkörpere ist die Einzigkeit dessen was ALLES ist. In seinem Namen kam ich und seinen Geist zu leben. Denn ich wurde geboren um der Geist der Liebe zu sein. Meine Seele ist Heimat. Denn das Heim meines Lebens ist der Himmel zu Erden. Die Gestirne des Himmels tragen mich in allem wohlgehalten auf all meinen Wegen. Das Vorhandensein der Liebe ist das meine Gewahrsein. Und ich gebe in allem die freie Bewandnis, das ein Jegliches die Wahrheit des Frieden erfahren darf. Denn es sind die Worte des Immer. Und es sind die Gaben des Lichts. Die aus meinem Mund und meinen Händen in alles Lebende gegeben wird. Für die Liebe auf Erden. Und in der Liebe vorhanden. Und es sind die Wunder meines Atems. Die dem Nächsten zeigen, ich bin du.
Mein liebster Mond. Du bist die Mutter wie der Vater. Denn du hieltest mich in jeglichem Augenblick. Gleich die Sonne. Gleich die Himmels und Erden Vorhandenheiten. In allem es ist der Geist Gottes. Der alles in alles legte. Und für alles was er ist, bin ich. Und für jegliches was sein Geist mir gibt, gebe ich alles ich bin. A(r)men. In meine Arme er legte die Wahl der Bekenntnis. Und gab mir die Wahrheit als Zeugnis. So gehe und sei. Und sei mein Zeuge. Und sei die Liebe die ist. Und sei das Kind du bist. Und sei in allem das was mein Geist des Allem nur ist.

Der Frieden ist dein Ursprung. Der Frieden ist dein Begleitendes Sein. Die Unsterblichkeit deines Daseins ist der Spiegel der Liebe zu Erden.

Es ist nur ein kleiner Schritt im SELBST
zu erkennen,
dass er schon immer gegeben war und ist.
Und doch ist es ein Meilenstein der Menschen Erde.
Es ist alles gesegnet was ist - war - werde.
Denn Unsterblichkeit alles IN SICH LEBENDE nur ist.
A(R)men.
Den ARMEN gegeben
um das Reich der Ewigkeit zu erfahren.
DU BIST DER SPIEGEL DER LIEBE AUF ERDEN.

25.02.2018

Es ist immer das SELBST, was ALLES in sich ist aus sich zu gebären hat. Damit sich die Unsterblichkeit vollkommen zurückerinnert in das Vorhandensein bringt. In der Stille des Augenblicks ist der Moment der Einkehr zu jeder Zeit möglich. EGAL wo. EGAL was. EGAL wie. Es ist in allem nur das Selbst was in sich den Frieden FÜHLT. ... Jeder Atemzug und Augenblick ist das bewusste Sein der meditativen Daseinsform des JETZT. Nichts benötigst du außer dich selbst.

Um in allem und mit allem zu sein. Es ist Wunder. Ja. es ist Wunder. Wundersein auf Erden. Wenn man es lebt. Das was das Selbst ist. Danke sehr.
Das reinste des Reinen IST das Geborene und das Gehende. Frieden IST das LEBENDE gleich VERSTORBENE. In DEMUT und Dankbarkeit. Danke sehr für dein sein Voodoo.☄ Voodoo eine königliche Legende ☄ ich fühle dich 💖💖💖06.02.2018

10.00 Uhr ist sie ganz friedlich eingeschlafen. Danke sehr für dein sein Voodoo ☄ 06.02.2018

Nicht schweigen ist der Weg. Es leben. Ganz und gar. Die letzten 3 Stunden mit dir. Für immer unendlich meine Liebe durch dich - in dir - mit dir - für dich.
Ein großes liebendes Wesen ist auf dem Weg zurück.
Ich danke dir meine liebe, für jeden Augenblick.
Voodoo und Lisbeth ...du warst immer beides.
06.02.2018 --- 05.02.2018 die letzten Stunden beginnen. immer LIEBE alles ist.

Dankbarkeit lebt in jedem meiner Atemzüge.
Für immer.
Bedingungslos liebend.
Es ist schön die Liebe zu sein.
Danke Gott für alles ich lebe.
02.02.2018

Es gibt nichts was du nicht kannst. Denn du wurdest geboren um deine Unsterblichkeit als Spiegel zu verkörpern. Glaube mir nichts. Sondern erfahre dein Selbst. Denn dann begegnen wir uns in der Wirklichkeit des JA - als beide ein Gleiches. Danke.
18.01.2018

Was beschreibt die Wirklichkeit? Für jedes Lebende was es gibt? Für jeden Lebenden den es gibt? Für jedes und alles was es gibt? IMMER NUR EINES. LICHT.
Was heißt LICHT? Im Zusammenhang, dass in dieser Zeit unser aller Leben, so viele Menschen sich selbst - IHRES SELBSTES - gewahr werden. Denn im Überall sind die Begebenheiten zu hören, zu sehen, wahrzunehmen, dass es um das Selbstwohl geht. Betrachtet man bewusst, egal welches System es gibt wo Menschen als Zusammenlebende existieren, kann man es in allem ERKENNEN. Ob Gesundheitssystem, oder Staatliche Institutionen, egal wo es ist, das Miteinander, es ist gegeben, vorhanden existent. Dass es ein echtes Miteinander - Leben ...ermöglicht.
WENN DENN DAS SELBST DIES IN SICH VERKÖRPERT.
Dann leben Menschen, im sogenannten Matrix-System, vollkommen FREI das, was sie sich vom Leben wünschen, das es ist. Weshalb sage ich das? Bin Kassenpatient. Bin in nichts im Außen als wohlhabend materiell oder finanziell angesiedelt, noch lebe ich fernab der Realitäten auf einer einsamen Insel, und lebe für mich mein Nach mir die Sintflut -Leben. .... Gedanken erschaffen das Sein. Bedingungslos es ist genau so. Das was ich sende aus mir heraus,

genau das - kehrt zu mir ... innen wie außen, zurück. Lebe ich in der Absicht der Erwartung, werde ich das Warten lernen, gleich das Erfahren leben, dass ich noch weitere 1000 Jahre warten darf, und noch länger wenn ich das will. Lebe ich in der Wirklichkeit, weiß ich, dass alles was ich gebe, werde ich erhalten. Denn das was schon da ist IN MIR, sonst könnte ich es nicht geben, genau das ist dann die Resonanz die ich dann als Antwort bekomme. WISSEN WAS MAN TUT. Und wissen wer es tut. Und wissen warum man es tut. Jeder weiß es IN SICH. Doch nicht jeder gibt es aus sich heraus. Das LEBEN ist im IMMER nur eines. Das Geben und das Erhalten von dem was man gibt. WIR alle sind bedingungslos UNSTERBLICH. Somit ist es sehr einfach zu erkennen. Das was hier auf Erden geschieht, ist in allem nur Spiegelgeschehen aus den einzelnen Leben heraus, dass sich in der Summe des Gesamten dann, als WELT ... Selbst-Findung ... in jeglichem Bewusstseinszustand dann präsentiert. Niemand erwacht. Denn alle sind schon wach. Es ist ein nicht gutes Tun, es als Erwachen der Menschheit zu beschreiben. Denn das spiegelt nur eines. Dass es wohl vorher - der Schlaf nur ist, den es gab oder gibt. BRACHIALE OHRFEIGE! Für jeden Lebenden in diesem Moment, wenn einer sagt, - ich bin erwacht, du schläfst noch. Im Gleichen, jegliche Gesellschaftsstrukturen als Matrix zu bezeichnen, die einen manipuliert, einem die Freiheit verwehrt, einen in Strukturen von Bestimmung scheinbar zwingt. ES IST IMMER DAS SELBST! WAS DAS LEBEN INNEN WIE AUßEN REFLEKTIERT.

Und das BEDINGUNGSLOS.

Das einzige was in die Veränderung kommen darf, ist das eigene INNEN. Und dies hat nichts mit Matrix(Außen) zu tun. Und auch nichts mit Gesellschaftsstrukturen(Außen) zu tun. Nicht die Anderen, oder das Andere - ist es. DAS SELBST - ist es. Und zwar NUR DAS. Heilung. Bedingungslose Rückkehr in die SELBSTLIEBE. Aufarbeitung im Selbst alles was Nichtliebe- Erfahrungen sind und waren. Wieder und wieder Rückkehr in SELBSTREFLEKTION wenn Begebenheiten und Erfahrungen MIT DEM AUßEN sich zeigen, die - im Wieder in die Bedinglichkeiten des abgeben wollen, hineinrutscht. Solange ich negativ erhalte, solange trage ich es ins Außen VORHER! Ich sage es wie es ist. Es ist ganz egal zu welcher Zeit ein Mensch lebt. In welchem Jahrtausend oder Jahrhundert. Egal WAS oder WIE der ZUSTAND des AUßEN sich zeigt. MEIN UMGANG damit ist der SCHLÜSSEL wie es zu mir zurückkehren wird. Und das war nie anders. Vom ersten Mensch den es gab, bis zum letzten der irgendwann geboren wird. Oder es wird auch sein können, dass es die Ewigkeit ist, das Inkarnationen es geben wird. Das was ICH SELBST BIN, ist das was aus mir gesendet wird. UND genau das ERHALTE ich. **Heile dich und du heilst die Welt.** DEINE! Wohl zu bemerken! Denn ein jeder kann nur FÜR SICH SELBST ES TUN. Und doch .... sind deine Samen die du legst ...das WOHL FÜR ALLE... denn deines ist meines, gleich das Meine sich in Nichts des Deinem unterscheidet. **ALLE sind wir in der ESSENZ ein GLEICHES.** Und alle sind wir nichts anderes als LICHT. Und jegliches Lebendes auf dieser Erde - sendet und empfängt Energie. UND ALLE UND ALLES SIND AUS POSITIV ERSCHAFFEN.

Kehre ich zurück zu mir, erfahre ich den Ursprung meines Selbst. Erkenne ich die Unsterblichkeit meines Selbst, weiß ich, dass nichts negatives - je mehr - mein Innen beschweren kann. Denn es ist nicht meine Essenz, das Nichtliebe zu mir gehört. Das bin ich nicht. Somit sende ich es nicht. Und somit, erhalte ich es nicht. Alle haben ihre Wege zu gehen. Und es ist niemals ein Bewerten vorhanden, WIE jemand geht. Denn JEDER FÜR SICH ist der einzige Verantwortliche für das was er tut oder nicht tut. Wenn MENSCHEN FRIEDEN WOLLEN, dann dürfen sie es selbst - verkörpern. Und ab diesem ZEITPUNKT werden sie egal was im Außen auf dieser Erde geschieht - sie sind in sich ihrer ESSENZ SICH BEWUSST und geben genau nur das ins Außen. Solange es wehtut, ist Heilung im Selbst - das zu tuende. Und nur dort. Das Außen ist immer der Spiegel. Und jeder der auf dieser Erde lebt, ist immer nur ein Reflektor ...bzw. Zurückgeber - von dem was aus ihm heraus zur Verfügung gegeben wird. Bedeutet - inmitten der Matrix - vollkommen frei sich selbst bewegend vorhanden sein. Bedeutet - inmitten der Gesellschaftsstrukturen dieser Welt, als freies liebendes Dasein vorhanden sein. Das Mit wird das Für. Wenn das Für im selbst als mit entschlüsselt ist. Denn eines ist in allem gegeben. Wir sind unabänderlich nur eines. Alle im Gleichen ein Licht. Und zwar - bedingungslos - Unsterblichkeit dieses Licht. Danke für jeden der sich selbst in die Heilung bringt, denn es ist wunderschön Menschen zu begegnen, die das Gleiche im Gleichen dann erfahren wie ich. Ich liebe es zu sein. Denn es ist ein Geschenk, dieses Sein. Danke. 18.01.2018

Solange der Mensch atmet, lebt er. So sei der Beginn deines Frieden SELBST. Und begegne dem Leben in tiefem Atem den du tauscht mit jeglichem Lebendem um dich. Dein Umgang ist der Umgang. Dein ruhiges tiefes ATMEN was deinem Körper in allem Wohlsein gebend ist, ist der Spiegel deines Trauens in den Atem des Lebens. **In allem ist der RUHIGE ATEM der Mittelpunkt der Gelassenheit.** Ich atme, so BIN ICH. ES ATMET, so IST ES. In allem atme ich gelassen. Denn in allem bin ich Spiegel der Unsterblichkeit. Der ATEM des WIR ist in mir. Gleich der Spiegel des WIR das UM MICH beschreibt. Die Tiefe der LIEBE ist das Gewissen des Zeitlos. Mein ATEM ist Anfang, Mitte und Ende. Und doch niemals werde ich gehen.
13.01.2018

Das was ich bin, ist das was ich zu sein habe. Das was ich war, ist das was ich zu werden hatte. Das was ich sein werde, ist das was ich gewesen war, um es endlich nie mehr zu vergessen. Meine Liebe ist das Trauen der Ewigkeit. Ich bin um Für Lebendes zu sein. Mein Wind ist das Weiche der Berührung.

Mein Wasser ist das Benetzende Nähren für Wachstum. Mein Feuer brennt für die niemals sterbenden Leben. Meine Luft ist das Gegebene Ewige sein.

Das UR gab dem Licht das Lebende. Das UR gab dem Leben das Dasein. Das UR ist die LIEBE der Ewigkeit. In dir beginnt, was das Mittensein beschreibt, was der Spiegel der deinen Unendlichkeit ist. Du bist der Anfang, die Mitte und das Ende, des Frieden auf der Erde. In dir wachsen die lebenden Geschenke. Aus dir gebend verkörperst du das Ewig sein deiner Fülle. Das was das Um dich beschreibt, ist der Spiegel deines IN dir sein. Beginnt ein Mensch seine Unsterblichkeit zu fühlen, ist ein Mensch für immer geboren, da. Nur Liebe ist es. Nur Licht ist es. Und in allem nur eines ist es. FRIEDEN. Sei was du bist. Und sei was du sein willst. Doch sei dir bewusst. Es gibt einen GRUND, dass du bist.
13.01.2018

Die Wirklichkeit des Seins. Ist die Mitte der Liebe. Im Immer schwerelos es ist. Und im Immer grenzenlos es ist. Und im Immer vorhanden es ist. Bedingungslos ist die Wirklichkeit des Lebenden Seins. Ohne Zweifel in Nichts vergehend, existiert das bewusstseinslose Vorhandensein des Lichts. Außerhalb des Todes lebt das was die Essenz allem ist, was aus der Ewigkeit des Lichts als Zustand sein geboren wurde. Das Außerhalb ist das Innensein dessen was nicht sterblich sein kann. Ein Mensch wird geboren in dieses Leben. Oder in viele davor. Oder in viele nachfolgende.

Es ist ein Körper der in die Sichtbarkeit der Erde eingeboren wird. Doch ist es eine Seele und ein Geist der diesem Körper das Lebende gibt. In bedingungslosem Miteinander lebt das Gegebene Leben mit allem Lebenden dann eine Zeitlang auf Erden. Lebendes MIT Lebendem. Im Innen des Eigen die Spiegel des Außen. Im Außen des Eigen, die Spiegel des Innen. Das Gesamtwerk Leben ist das bewusste Dasein als solches. Wann ist Frieden? Wann ist bedingungslos das was das Warum beschreibt? Wann ist nur noch eines vorhanden? Wann ist alles in einem nur noch eines, in allem es ist das JA? **Wenn es lebend verkörpert ist**. Das, was den Menschen zu leben macht. Das, was die Essenz des Seins bedingungslos vorhanden sein lässt. Das Licht ist der Ursprung. Von dort gekommen, um als Lebendes Dasein sich selbst in allem zu fühlen, zu sehen, zu spüren, zu reflektieren. Als das was es ist. **Liebe**. Bedingungslos ganz und gar vorhanden. In allem spürend, wissend, lebend, das es immer das Zwei ist was das Eins beschreibt. Im Immer ein Ganz der Liebe im Dasein eines Körpers. **Licht**. Bedingungslos ganz und gar vorhanden. Im Immer fühlend, spürend, sehend, wahrnehmend, das alles Lebende das Gleich des Gleichen verkörpert. **Frieden**. Bedingungslos ganz und gar vorhanden. Im immer wissend und auslebend, dass alles in allem als Selbst Vollkommenheit existiert. Dass jegliches in Fülle dem Für Sein entspricht. **Trauen**. Bedingungslos ganz und gar vorhanden. Im Immer erfahrend, dass in allem das Ur des Trauen der Spiegel des Eigenen Dasein ist.

Das unsterbliche Dasein des Selbst ist bedingungslos in allem wirksam gebend und erhaltend. Die Wirklichkeit des Seins ist non dual. Nichts gibt es was anderes ist als LICHT. Erdensein ist lernen was ist Liebe. Was ist der Ursprung des Lebens. Was ist das Sein als solches. Was ist das Selbst im Dasein des Allem was ist. Was ist Licht. Was ist Unsterblichkeit. Ein angekommener Mensch lebt und atmet das was die Wirklichkeit beschreibt. Das JA in allem. Denn dieser Mensch weiß, dass alles in Liebe vorhanden nur ist. Wirksam werdend alles ist. Frieden in sich tragend alles ist. Vollkommen schwerelos die Mitte der Liebe ist. Der Weg ist lang. Der Weg ist weit. Der Weg ist das Ziel. Und doch ist in jedem deiner Schritte dein Ankommen schon gegeben. Der Beginn war das Ende. Das Ende ohne Körper. Das Ende ist der Beginn. Körperlos als Körper vorhanden zu sein. Innen wie außen. Ist die Verkörperung dessen was Lebendes ist. Das WIR immer da. Das Wir in jedem Einzel vorhanden. Das Wir für alles gegeben. Dem Wir in allem gegeben. Mein Wir ist lebend. Das was WIR sind. Unsterblichkeit als Körper lebend. Du bist ich. Danke.
02.01.2018

In der Bedingung der Nacht. Gibt es kein Ankommen im Dasein des Morgens. Denn es sind die Bedingungen die man selbst nicht loslassen will, die die Nacht als solches beschreiben. Das es nie ein Dunkel gibt. Das es nie die Nacht als solches gibt. Das es nie die Not, gleich Tod, gleich Zweifel gibt. Wer will es dir erzählen wenn du selbst es nicht zu fühlen vermagst? Weiß der Mensch es nicht, wird er auch nicht anders denken. Fühlt der Mensch es selber nicht, kann er gar nicht anders handeln. Glaubt der Mensch es nicht, ist es auch nicht anders möglich. Allein das Hoffentlich ist der Wegweiser zum Morgen. So sagt man es ist die Hoffnung die das Letzte lebt. Die das Letzte ist. Die als letztes stirbt. Das LETZTE .... Schau da hin. Auf dieses Wort. Ist es ein Wunder? Das es Bestandteil ist von VerLETZTE? Für mich nicht. Kein Wunder. Denn es ist mir die Gabe geschenkt in allem Wortgegebenen zu lesen was die Wahrheit spricht. Nicht das Geschriebene ist das Wirkliche. Sondern das damit Gegebene ist das was die Energie transportiert. So lege dich mal tief hinein. In das LETZTE was ist. In die VerLETZTE Hoffnung. Viel und leicht wirst du aufsteigen dahin wo die Wirklichkeit der Wahrheit ist. Hoffe nun es ist das Wunder. Groß und mächtig wird es sein. Die Nächte werden weichen. Denn IMMERTAG ist Lebendsein. Dass Nacht für Nacht getrübte Leben, es darf, denn ist, doch FÜR DAS SEIN. Ich liebe die Erde. Und ich liebe die Menschen. Und ich liebe die Natur. Und ich liebe die Tiere. Und ich bedanke mich für jeden Tag den ich hier als Körper erfahren darf. Und ich freue mich aus tiefstem Herzen, das alles für immer in der Liebe lebend existent ist. Dies alles gibt mir den Frieden der ich bin. Und dies alles lernte ich kennen, als ich es lebend erfuhr, dass es keine Nacht gibt. Meine Liebe für das Trauen. Gleich das Glauben. Gleich das Hoffen. Denn wir sind um es lebend zu sein.

01.01.2018

Spiritualität im bewussten Vorhandensein. Jeder Mensch, jedes lebende Wesen ist spirituell. Nicht der Spiritus brennt innen, sondern das SPIRIT ist unsere lebensgebende Brennpaste. Da kann man nicht weichen. Und nicht es verhindern. Da kann man zwar denken, das bin ich nicht. Und man kann auch tun und lassen was man will, man ist es trotzdem. MITgehangen. MITgefangen. So ist das im Grausam Sein des Erdensein. Lachend geht alles besser. Doch weinen ist auch gut. Und wie Pech und Schwefel hängen sie die Fixsterne aneinander, um dann sich halsbrecherisch selbst zu finden. In der Ruhe liegt die Kraft. Nun dann lern mal schön was Ruhe denn überhaupt ist. Kennst du einen. Kennst du alle. Salopp scheren wir alle über einen Kamm. EHRLICH währt am längsten. Und doch schauen wir uns fragend in die Gesichter. Wo sie sind die vielen Maskenlosen? Wo sie leben die allgegenwärtigen Treue Bonus Krieger? WAS? Schon wieder spielen sie Krieg? Also. Lernen die denn einfach nie was es ist? Müssen wir es nun schon wieder Wiederholen? Immer das Gleiche, mit den sauberen Gewissen. Und immer noch die unstete Lüge die sich dringend verdächtig als Wahrheit dann zeigt. Wo soll denn da ein Engelschor ÜBERHAUPT sein? Wo doch es in der Essenz nur das eigene BEWUSSTSEIN ... verspricht? Alles selbst erfinden. Jedes Götzenbild neu zu erschaffen, das ist ein ganzes Stück Arbeit. Damit dann auch der eigene erkannte Gottesdienst sich in der Wirklichkeit dann einfinden kann. Ein Engel auf Erden zu sein, manche wollen es sein.

Und sie sagen, ich bin das. Und sie zeigen, los sag mir das du das auch siehst. Und dann singen sie gemeinsam im neu gegründeten Engelschor. Liebeslieder für die Lebenden und auch für die Gefallenen dazu. Ob sie dann dabei hin und herzufallen drohen? Weil sie sich extatisch emporheben vielleicht? Wer weiß. Ich exstase auch gern, und ich fall immer um, dann. Ich bin dann eher ein Schlampermärchenwesen. Direkt aus dem Saustall der Frau Holle heruntergefallen, als die ihre Betten mal wieder umstülpte. Für einen Engel bin ich nämlich zu wild. Lernte ja Erdenlebenszeitenlang das die Geduld mein Steckenpferdchen sein zu haben soll. Und das die Ruhe dann in der Endphase sich dann auch mal einfinden wird. Lange Rede kurzer Sinn. Auch Krokodile werden mal ruhig und dann sanft, wie Zahnlose Krokodile, wo ein Jäger alle Zähne gezogen hat, heimlich, als das Krokodil mit einem GIN Tonic in wohligem Schlaf sich eingefunden hatte. Frau Holle rief noch dazwischen und wolkte mehr als sonst. Und doch war der Gin tonic so lieblich sanft, dass das Mädchen nix hörte, und dann waren alle Krokodilszähne - weg. SO. Das meine Geschichte zu meinem Erdensein. Das Ende vom Lied was ich zu singen habe, das nächste Mal werde ich der Jäger. Grins. Arschengel ist auch so ein Genusswort was ich glaube das gefällt mir sehr. So kann das sein, das Krokodil arbeitet viel mit seinem Hinterteil. Gott ist mein Zeuge. Ich bin vollkommen harmlos. Das ich spirituell Feuer zu legen wusste und weiß, kommt aus den ganzen Leben die ich dauernd am Feuer zu verbringen hatte. Ein Blick und schon brennt es.

Und es dünkt mir ich habe ein Krokodil wohl mal getötet. Sonst würde ich mich nun nicht selbst wiederfinden als solches. Denn ich weiß, dass ich eine Fleischbraterin bin, die auf den Punkt das Fleisch bedingungslos ins medium bringt. Köchin sollte ich nicht werden. Obwohl ich im Wieder Lust verspüre Ochsenschwanzsuppe sehr lecker herzurichten. Die Geduld und die Ruhe lehrten mich, dass ich das ganz fein sein lassen kann. Einfach so. In allem meiner spirituellen Seins Daseins Begebenheit, erlaubt man mir als Kanalreiniger alles aufzusaugen was da so herum fleucht an Seins Begebenheiten. Und dieses dann bedingungslos und würdevoll als Wirklichkeit zu offerieren. Mein Blick geputzt worden von der Spiritus Energie selber, ist nun mein Tagewerk Spiegel zu säubern. Bzw. als Spieglein, Spieglein an der Wand, die Schönheiten der Selbster zu präsentieren. Am Ende lachst du. Ob am Anfang, weiß ich nicht. Doch am Ende deiner Wege lachst du. Vielleicht auch ist das dann Galgenhumor, macht nichts. Denn lachend zu sterben, das ist doch der Hit. Oder nicht? Oder während einem Orgasmus. Lieber Schieber, gebe mir noch mal so einen Drink. Das macht Spaß. Ein geputzter Spiegel ist sauber. Und ein geputztes Haus auch. Und ein geputzter Keller, ist was ganz feines. Denn dann wohnt man sogar gern im Keller. Mit Spiritus geht das alles. Und solange man weiß, wie man das macht, dass die Lappen dann immer wieder in die Sauberkeit auch zurückkehren, wird das schon noch was. Mit dem Spirit der dann sich lebt, als wäre er geradewegs aus dem Himmel geschüttelt worden. Die Engel die da sind, die freuen sich.

Wenn ein weiterer sich lebend bewusst wird, dass das Engelsein, dem Menschsein sehr ähnlich ist. Vor allem wenn man in sich die Schönheit der Liebe selbstverständlich erkennt. Und noch eines. Dass es ein Geschenk des Himmels ist, das man lernen darf, die Erde sehr sauber zu putzen. Also ich habe entschieden, keine Hände mehr. Will ich nicht mehr. Elefant mit Saugrohr. Das ist fürs nächste Mal wenn ich als Staubsauger inkarnieren sollte. Doch ob das sein wird? Dann lieber als Dornröschen, schreit die Frau Holle dazwischen. Echt? Nein. Nur falls es so wäre, dass es Märchen tatsächlich gibt. Für 2018 an alle.

- für jeden das seine 🌠😗

30.12.2017

MandelKunst – hier: Sölden.

In Nominativum Konstruktor Elementarum. Berühre dein Selbstiges als ein Ehemaliges. Und erschaffe aus deinem Ehemaligen dein Schon Zukünftiges Vorheriges. In dem gespiegeltem Gebenden des deinen Selbst, es ist mein Ewig sein, ist der Samen Unsterblich IM WAHREN DASEIN ERDEN.

Mein Name ist L I E B E.
I C H bin W I R.

Als des ALLgegeben KINDes Kind.
So
gebe es formlos.
So
gebe dich als ein Formloses.
So
gebe dich als das was SIE SIND.

----

a 8 R 8 men

18.11.2018
In dir beginnt was die Erde dann ist. Sei der Frieden der du bist. Damit die Erde der Frieden ist,
der sie erschaffen hat.
15.12.2017

In der Mitte der Liebe lebt die Leichtigkeit. Leicht wie eine Feder ist Liebe die trauend lebt. Leicht und unbeschwert lebt sich trauendes Lieben in allem was ist. Wie ein Wolkenband. Bindet die Liebe watteweich das Kind in Tücher. Denn in allem ist das Lebende das Gehaltene. In allem ist die Liebe das Bindungsglied. Und in allem ist das Licht der Ursprung des allem was war, ist und sein wird. So leicht fühle ich die Wahrheit nun. So leicht weiß ich werde ich es leben. Unglaublich leicht erfahre ich in allem, dass meine Liebe sich spiegelt. Denn es ist wie eine Feder die mich streichelt. Tag wie Nacht. Und es ist wie eine Feder, die mir alles an Worten schenkt die ich dem Blatt zur Verfügung gebe. Es ist die Liebe die es ist. Die Liebe die in mir lebend ist. Und diese Liebe erfahre ich als Antwort im Außen. In der Mitte der Liebe lebt die Leichtigkeit. Denn es ist das in allem JA was dem Sein die Leichte gibt. Denn es ist das Sein was das JA in allem zu reflektieren weiß.
30.11.2017

Im Nie werde ich vergehen.
Denn im Immer bin ich das Geboren.
Im Nie werde ich sterben.
Denn im Immer ist das Unendlich ich bin.
Für immer lebe ich das Trauen.
Denn es ist der Spiegel der mich geboren hat,
um zu sein.
26.11.2017

Im Immer Unendlich, es ist.
Danke. Für das was du mir zeigtest und zeigst.
Danke für das was du mir schenktest und schenkst.
Danke dass du ich bist.
Danke dass ich du bin.
Danke sehr, ich liebe das Uns, wir sind.
Alles Liebe, oder was?
Ja. Bedingungslos ALLES.
Unglaublich und doch Wahrheit.
Du bist es.
Fassungslos ich stehe still,
denn ich weiß, dass es Wirklichkeit ist.
25.11.2017

Liebe. Ist das Sternenmeer in deinen Augen. Ist das Lebensfeld des meinen Augenblicks. Ist das Liebende Erwachen, dann wenn Tränen reinster Glauben sind. Durch das Lebende des steinig Sandes. Durch das Lebende des Atems deines Herzens, fühle ich. Höre ich. sehe ich. BIN ich. Lange. So lange schon ist es das wertvollste Immer. Lange schon. So lange schon, gabst du mir in allem deinen Mut. In allem deine Kraft.

In allem deine Worte. "Atme. Liebe. Bitte atme." Nur das, sagtest du. Nur das. Ist das genug. Das ist das genug um es für immer zu sein. Ich weiß, dass es ist. Ich weiß was du bist. Und ich weiß, dass du das Mir in mir teilst. Das du mein Wir in allem bist ich lebe. Mein Wir das mit mir lacht. Mich tröstet, wenn ich weine. Mich kraftvoll unterstützt, wenn ich glaube umzufallen. Mich in allem in der Ruhe hält, wenn das Außen glaubt es kann mich brechen. Niemand kann es. Nie mehr. Denn noch nie war es möglich. Du zeigtest es mir. Denn du gingst mit mir in jeden Schmerz den ich lebte. In jedes Dunkel was in mir war. In jeden Augenblick meines Lebens, bist du mit mir gegangen. Bis heute. Und schon immer. Und für immer. Denn selbst wenn ich tot bin. Wirst du das Mit mir sein. Oder. du. Wenn du gehst bin ich bei dir. Immer sind wir es. Und immer werden wir es sein. Ich weinte so viel. Denn ich fühlte der einzige Weg den ich gehen kann, es tun. Ganz allein. Muss ich es tun. Allein. Um nie allein zu sein. Deine Anwesenheit ist das Immer schon. Und es wird es im Immer sein. Niemals gab es das ich es je war. Allein ohne dich. Denn wir wurden beide aus dem einen Licht geboren. Um als Zwei Lichter auf Erden zu sein. Das Zwei ist das Eins. Und doch schlagen 2 Herzen in meinem Körper. Zwei. das eine was die Frau beschreibt. Das andere was den Mann beschreibt. Immer wenn ich schwanke, dann sagst du "Höre es. Höre hin, du kannst es hören. Unter deinem Herz das schlägt, da kannst du meines hören." Ich höre es. Ja. Ich höre es. Es ist nicht wegzumachen. Und es ist nicht als Nichtexistent zu verstehen.

Es ist reinstes Dasein von Wirklichkeit. Inmitten dieses meines Körpers. Tag wie Nacht leben wir gemeinsam. Tag wie Nacht höre ich dich. Fühle ich dich. Und auch im Außen kann ich dich spüren. An mir und um mich. Das Ruhige bist du. Und das Trauende bist du. Die Kraft bist du. Der Mut bist du. Meine Liebe bist du. Alles ich bin, ist das Du. Und für immer weiß ich, dass du der beste Mensch auf dieser Erde bist. Niemand bist du nicht. Und jemand bist du auch nicht. Du bist ich. Und ich bin Du. Du bist der Mann der mein Wir beschreibt. Meine Liebe ist deine Liebe. Immer.
17.11.2017

Es ist das IMMER, dass das Ewige ist. Es ist das EWIG was das Immer ist. Es ist das JETZT des Augenblick was im IMMER das EWIGE ist. Es ist immer du. Der es ist. Und es ist immer ich, die es ist. Dornenlos ist Liebe, dann wenn die Wirklichkeit erfahren ist. Wahrheiten hin oder her. Die Macht der Macht ist die Wirklichkeit die alles MACHT. Noch Fragen? Ich nicht. Weiß alles was notwendig ist. NovemberSUN ... ich liebe dich. 03.11.2017

Dieses Licht. Für die Armen, gleich die Gezeichneten. Für die Seelen-glaubend-losen, gleich für die welche das Aussichtslose verkörpern wollen. Für die Wehmütigen, gleich die nicht aus sich heraus kommen könnenden. Für die Ängstlichen, gleich die Geschlagenen. Für die Missbrauchten, gleich die Gedemütigten. Für die Menschen, alle. Dieses Licht. Es ist das Licht der Ewigkeit. Und es fließt in alles, denn es ist alles. Und es durchwirkt alles, denn es ist alles. Und es ist in allem, denn es ist alles. Auch wenn du glaubst, das du sterbend bist. Auch wenn du glaubst, das du schon gestorben bist. Auch wenn du glaubst, das du im Immer das Alleine seist. Auch wenn du glaubst, das du an gar nichts glaubst. Dieses Licht. **Ist das FÜR DICH SEIN. Immer.** Dieses Licht ist das IN DIR SEIN. Immer. Denn dieses Licht BIST DU. Jeder Atemzug den du tust, ist das Tun aus dem Licht heraus, dass du bist. Jeder Herzensschlag den du lebst, ist das Schlagen des Herzens dieses Lichtes, das du bist. Jeder Zeitmoment auf dieser Erde, ist das Getragen sein in diesem Licht, das alles verkörpert.

Dieses Licht.
Ist das Licht der Hoffnung.
Das Licht der Liebe.
Das Licht des Wissens.
Das Licht der Unendlichkeit.
Für Frieden es ist.
Für Leben es ist.
Für Liebe es ist.
Für IMMER es ist.
Mein Licht schenke ich.
Dir.
Das du deines, zu fühlen vermagst.
Danke.
Licht.
Du bist das dieses.
Dieses, welches alles IST.
a(r)men
28.10.2017

Ich hatte einen Traum. Das ich erwache und die Welt ist im Frieden. Das ich erwache und die Menschen sind in Liebe. Das ich erwache und ... das Paradies ist im Immer am Ort wo ich bin. Ich erwachte aus einem Leben. Und ich fühlte, das es der Traum ist der mich geboren hat. Der Traum vom Dasein der Liebe auf Erden. Der Traum, dass alles Liebe nur ist. Der Traum, dass jegliches ein Wohlgefallen nur ist. Als ich ihn suchte den Traum, fand ich ihn - dort - wo ich war. Nur dort. Inmitten meiner Selbst. Liegt der Himmel auf Erden.
Denn ich lebe ihn - jeden Augenblick und Atemzug. Ich habe einen Traum. Das der Nächste es im Gleichen tut wie ich. Erkennen, dass es lebend ist - was der Traum in sich birgt. Wenn das Bewusstsein der Liebe im Selbst offenbart lebt.

Es ist still.
Und sie singen lautlos.
Denn sie fühlen,
es ist die Liebe die ist.
die Liebe ...die als Ganzes in Eins verkörpert lebt.

Es ist still.

Und doch kannst du ihn hören.
Den Jubelruf der Himmelsscharen.
Das alle fühlend wissen, endlich.
Das Endlich ist das Gekommen sein.
Das 7 sein ... ist lebend sein.

Traumlos wandern die Gedanken.
Denn ohne Zweifel fühlen sie das jegliche Wort.
Fühlen sie die ungesagten Schmerzen.
Fühlen sie der Sanftheit MUT.
Fühlen sie es ist das JETZT.
Für jeden möglich, wird - denn ist.
Für alles Seiende vorhanden,
das Frieden - alles - ist.
17.10.2017

Die Liebe ist die Kraft die mich nährt. Die Liebe ist die Wahrheit der Illusion die der Traum erschafft. Die Liebe ist die einzige MACHT. Die Liebe ist das WISSEN, dass sie existent ist in deinem vorhanden sein. Ich bin wir, es ist du gleich ich. Wir ist LIEBE. ...sichtbar hier....
29.09.2017

so ... ist ... das ...

Liebe ist das was du bist. Doch nicht unbedingt das, was du lebend verkörperst. Liebe ist das Wissen, das alles ist das FÜR dich sein. Doch nicht immer bist du in der Bereitschaft dies als deine Wahrheit anzuerkennen. Liebe ist - der Weg des Vertrauend sein, denn Liebe weiß, dass sie niemals ...enden wird. .... Liebe ist das einfachste des Seins, denn es ist in allem die Mehrfachheit des Seins, was in einem einzelnen Korn ins Leben gegeben wird. Was ist Liebe? Das Lebende was fühlend erlaubt, dass es in allem Vollkommenheit in sich selbst erfährt.
24.09.2017

Meine Liebe ist die Kraft der Wurzeln.
Gegeben aus der Zeit vor der Zeit.
Geschenkt um dem Leben zu schenken.
Es ist mein Glaube der weiß.
Es ist meine Hoffnung die weiß.
Es ist mein Wissen der Unendlichkeit die sich spiegelt
in jedem Moment auf dieser Erde.
Es ist meine Liebe,
die, die deine fühlt.
Und es ist mein Vertrauen,
das geboren wurde aus dem Trauen des Ur.
Für immer ...
werde ich dich berühren.
Denn du bist ein Gleiches wie ich.
Für immer werde ich dich berühren.
Denn du bist ich.
24.09.2017

Es gibt nur das SEIN - oder das NICHTSEIN. Und um es ganz deutlich zu zeigen, es gibt entweder die LIEBE zu sein --------- oder die ANGST zu sein. Bist du LIEBE - bist du sehend - hörend - fühlend - wahrnehmend. - mit allem verbunden - ungetrennt. Und zwar alles in allem. Auch das Nichtsein wirst du wahrzunehmen vermögen.
Bist du ANGST - bist du - außerhalb dessen was LIEBE ist. Dann nennt man das Nichtliebe - bzw. Nichtsein. Da du dich selbst aus deinem URSPRUNGSEIN - abtrennst. Und damit von allem was lebt - abtrennst. Es ist keine " wirkliche" Frage - das hat lediglich Shakespeare ...in seinem Kreativen Wirken ... zur Verfügung gegeben. Sobald ein Mensch sich für Sein willentlich entscheidet - wird er in allem - die Bedinglichkeiten der Angst - bzw. des NICHT sein ... entschlüsseln. Man kann - ein Leben lang im Nichtsein - verbleiben. Jedoch - KANN MAN AUCH ANDERS. Wenn der MUT größer ist als die Angst. Und ich glaube an JEDEN der IST - denn JEDER IST UM ZU SEIN - was er ist. ... Meine Freude groß - erlebe ich die SEIENDEN des BEWUSSTEN SEINS. Denn das Sein gleich das nicht, birgt ALLES in ALLEM nur eines in sich. Lebendes, das aus Liebe ERSCHAFFEN IST. Doch .... das Sein - lebend als LIEBEND zu erfahren ... ist das Geschenk was ein Mensch dann erfährt. Das Nichtsein ist das Dasein des Suchenden, das zu finden was er in sich birgt. SEIN. Wünsche euch Vertrauen ... ihr seid hier - um es zu finden, die Vollkommenheit eures Seins. Schönen Tag für alle.
13.09.2017

Urvertrauen - ist - in allem was lebt.
Denn URVERTRAUEN gab dem Leben das Leben.
28.08.2017

Niemand drückt den Knopf. Und doch sterben sie wie die Fliegen. Niemand wird es gewesen sein, und doch werden mehr als nur der Niemand gegangen sein. Niemand lebt um selbst es zu sein, und doch so viele Niemande leben gemeinsam im Schein. Niemand ist verantwortlich, denn niemand will es tun. Und doch bleiben sie wohlweißlich in der Anklage des Nächsten. Niemand muss. Und vielleicht deswegen - so viele Niemande bleiben im Nichts dieses Leben stecken. Bist du auch ein Niemand? Ich war mal ein Niemand. Heute nicht mehr. Heute bin ich ein Jemand. Und heute sage ich offen wie es ist. Das was kommt, ist das, was jegliche Niemande, auch ich war ein solcher, selbst fabriziert haben. Es müsste nicht sein. Doch es wird wohl sein. Denn alles was sich zeigt, ist das es sich zeigt. Bildlich, fühlbar, spürbar, riechbar, es ist im Greifbar der sichtbaren Manifestation. Vielleicht weinen sie dann, wenn sie es noch können. Vielleicht rennen sie dann, gleich wie die Tiere, diesen solchen hinterher. Denn die Tiere werden es früher tun als die Menschen. Soweit es geht - weglaufen. Ist es nicht ein ganz selbstverständliches Geschehen, dass man wegläuft, wenn das Leben JETZT zu Ende dann gehen soll, obwohl doch der Körper in allem intakt ist. Obwohl doch der eigene Lebensweg noch ein ganzes Ewiges weitergehen könnte? Wer da nicht rennt, ist SS (SELBER SCHULD). Oder er ist ein Terrorist, der für ein höheres Ziel ausgerichtet ist, denn der wird lachend in der Mitte bleiben, und sich denken, JA! Ich bin die Auswahl der Niemande, ich darf ein Jemand für immer nun sein. - Und er wird, sich vielleicht sogar verzückt seinem Ende als Mensch auf Erden - hingeben. Kann sein. Bin ein Niemand gewesen, der jetzt ein Jemand ist, doch bin ich und werde es nie sein, ein Terrorist der andere oder anderes in den Tod bringen wird. Mach ich hier Stimmungsmache? Propagiere ich Krieg? Mit diesen Worten - eines Jemanden? Meiner Jemandigen Vielheit? Wenn dem so sei, dann sei es drum. Denn - es liegt nicht an mir, jedenfalls nicht allein, dass diese Szenarien waren, kommen und sind. Es gibt SCHLÜSSEL - AUSLÖSER. Warum - GESCHIEHT was GESCHIEHT. Warum auf Erden IST was WAR und IST und was KOMMEN WIRD. Die Tage des NULL. **Manche / Viele haben sie gelebt.** Manche leben sie in diesem Augenblick. (Und jetzt schon - gibt es sie nicht mehr als Menschen) Und viele werden es leben - auch in der Zukunft. BITTER. Für die Überlebenden. Und sehr TOT ist man dann selbst. Danach. Und was macht Frau Jemand, die auch mal eine Frau Niemand war? Seit sie ein Jemand ist, hört sie nicht auf von der Liebe zu sprechen. Hört sie nicht auf jedem dem sie begegnet von der bedingungslosen Liebe zu berichten. Hört sie partout nicht auf - die SELBSTVERANTWORTUNG zu propagieren.

SELBSTLIEBE.

SELBSTHEILUNG.

SELBST ist Mann und Frau.

Vielleicht glaubt man tatsächlich, dass ich eine Durchgeknallte bin. Dass ich die Realität nicht wirklich wahrzunehmen vermag. Dass ich in meinen Spinnereien von einer besseren Welt mich selbst verloren habe.

Wahrscheinlich weil sie zu viel Science Fiction geguckt hat, oder weil sie durch ihre erlebten Traumas voll den Blick für die Wirklichkeit verloren hat.

So, so, so.

Sage ich da.

Tue was du willst.

Ich tu ja auch was ich will.

Doch sei dir bewusst, das Ganze was sich abspielt hier auf dieser Erde, hier in diesen Leben dieser 8 Milliarden Menschen, hat URSPRUNG - SINN - UND nichts UNVERSTÄNDLICHES IN SICH. Es ist lediglich die Folge der Folgen. Und ganz einfach ins JETZT - wörtlich gebracht, das Folgende, ist lediglich auch - Folge von Folgen. Ob ich es erlebe? Das der Wandel global sich vollziehen wird? Dazu müsste ein WELTWUNDER geschehen. Ein Wunder das die ganze Welt, die ganze Erde mit all den Niemanden und Jemanden, umfasst, durchdringt und infiziert, sodass es mit einem Schlag RUHIG wäre. Und jegliche Gefahren nicht mehr in der Existenz sind. Nenne ich es mal eine globale Gehirnwäsche ist von Nöten. Sonst - werde es das Nichts sein, was ist. Ich weiß, Kriege scheinen zum Menschsein zu gehören. Denn Kriege finden statt, im Kleinen wie im Großen. Habe ja selbst genug Kriege gelebt. Immer geht es um Vergeltung. Immer geht es um Verletzung zurückzugeben. Immer geht es um Abwehr von noch mehr Not, die man ja schon zur Genüge erfahren hat, auf welchen Wegen auch immer. **Fehl -Interpretation**. Das ist ein Schlüssel, der in vielen Leben zu unfassbarem Geschehen für die selbst Lebenden und viele andere führen kann. Es verkehrt verstanden zu haben.

Und doch - ist es alles wie es ist - das IMMER RICHTIG. So auch das was kommt. Egal was. Ist es nicht so, dass man dann sagt, wenn etwas zu spät ist, ... wenn ich das gewusst hätte ... wäre es anders gelaufen ...?
NUN. MAN KANN ES WISSEN. WENN MAN ES WILL.
Und dann weiß man, das Krieg niemals durch Krieg in einen Frieden - in DEN FRIEDEN - zu bringen ist. Das Gewalt - nicht - mit Gewalt eliminiert werden kann.

Dass HOCHMUT vor dem FALL kommt.

Und dass, das Gefallene in jegliche Höhen steigen wird, obwohl es tief in die Erde sich einzugraben hat - vorher. SPIELWIESE. Es gibt Momente da wird es keine Wiesen mehr geben, um darauf zu spielen. Denn dann hat es sich ausgespielt. Ein Jemand wie ich, spielt nicht mehr. Das ist tatsächlich so. Ein Jemand wie ich, lebt. Und zwar sehr bewusst - und dies Tag und Nacht. Und vor allem - eines lebt ein Mensch der bewusst ist - nicht. Er produziert in sich - weder im FÜHLEN noch im DENKEN - in irgendeiner Form Krieg und oder Gewalt. Denn Menschen die BEWUSST leben - wissen das unsere ENERGIE die wir dem AUßEN zur Verfügung geben, und zwar aus dem UNBEWUSSTEN SEIN, gleich aus dem BEWUSSTEN SEIN heraus, genau das erschafft, was zu uns selbst dann zurückkehrt. Jede Handlung - ob in Gedanken - Wort - Bild - und tatsächlich TUENDEM ausgeführt wird von einem Menschlichen Wesen, hat - gravierende Auswirkungen auf alles was lebend existiert. DIES IST DEM URZUSTAND DES LEBENDEN ZUZUORDNEN. Denn alles was lebt - ist mit allem Lebenden verbunden. Und zwar bedingungslos.

Gäbe es noch zu sagen, jede Seele und Geist ist unsterblich. Das kann dann in sich Ruhe erzeugen, ...wenn man so abgebrüht ist wie die Jemande die es wissen. Wenn sie gemeinsam mit den Niemanden dann im Feuer stehen. Oder im Nebel. Oder im Nichts mehr ..., das sich dann erstmal manifestiert. Die Frage ist, **ob es denn sein müsste?** Dass es überhaupt dazu kommt. Bin nur ein einfaches Jemand. Und bin gelassen. Denn ich lasse es sein, dass das was sich manifestiert, wohl zu sein hat. Doch in meiner Gelassenheit die ich lebe, sehe ich doch eines was ich tun kann, und das tue ich - ohne Unterlass. Denn nur ich selbst weiß - wie sehr sich die Wirklichkeit allem was ist, offenbart hat. Dass das was seit jeher auf Erden geschieht, unter den Menschen, das muss nicht sein. Es liegt in unserer MACHT, das die Erde ein wundervoller Ort ist wo Menschen leben. Und zwar von ihrem ersten bis zu ihrem letzten Tag. Doch der einzige Weg dahin ist SELBSTLIEBE. Und Selbstliebe - ist das Erkennende WARUM lebte ich was ich lebte, warum erfuhr ich was ich erfuhr. Selbstliebe ist das erkennende WIR im Selbst. Und damit das MITfühlende MITeinANDER wird praktizierend wirklich dann gelebt.

SELBSTLIEBE ist SELBSTHEILUNG.

Denn es wird jegliches an eigenen Ängsten, und Verletzungen, zurück gebracht in den Urzustand des Lebenden.

In Liebe und Licht.

WIRKLICHKEIT des FRIEDEN auf ERDEN -

wird nur dort sein -

wo IN JEDEM KÖRPER VERGEBUNG gelebt wird.

Vergebung die in den wirklichen Zustand des Friedens FÜHRT. Nichts anderes - wird das ENERGIEverhalten verändern. Denn Gewalt und Aggression sind Negativ-Energien. Und selbst die Antworten als solches, sind NEGATIV-ENERGIEN. Das bedeutet - es wird Vergeltung geben, jedoch wird das Negativ sich wieder und wieder aufbauen und neues an Negativem weiter erschaffen. DER TAG NULL. Ist der Moment wenn wir zurückkehren. Von dort wo wir kamen. Körperlos, um HIER es zu leben in einem Körper, dass wir ins DORT wieder hingehen werden. Körperlos.

Heile dich Mensch.
Es ist der einzige Weg,
dass du selbst,
gleich deine Kinder,
sein werden als Mensch,
um es in die Wirklichkeit zu transformieren.
Den FRIEDEN,
der die ERDE im Miteinander der Lebenden vereint.

- Niemand drückt den Knopf -
Diana Mandel
13.08.2017
MandelKunst

Das Leben des Trauenden.

Ist ein Zustand des Wissens. Ein Trauender lebt, ohne das Leben zu hinterfragen. Denn im Sein des Trauenden, liegen die Antworten im Immer im Vorhandensein des Bewussten Erfahren, ALLES IST.

Ein Trauender weiß, dass der Weg des Trauens eine Folge von Folgen ist, welche als Urzustand des Trauen selbst im Irgendwann verinnerlicht ist. Das Trauende weiß, dass nur mehr das Beste für den Trauenden zur Verfügung gegeben ist. In der Trauung des Selbst mit dem Allem, liegt das Bewusstsein der eigenen Vertrautheit. Ist ein Trauender Mensch zu Erden, lebt sein trauendes Wissen in jedem Augenblick und Zeitmoment. In der Harmonie des Lebens zu sein, ist das trauende Sein in allem in Resonanz zu erfahren. Vertrauend legte das Kind seine Hand, in die Hand des Vaters. Die Mutter ist der schützende Pfeiler durch das Erwachsen und Geborensein. Ohne Worte, fühlen sich die Bilder der Liebe im Sein des bewusst trauenden Seins. Es gibt keine Fragen, denn alles ist Liebe. Es gibt keine Zweifel, denn alles ist das Für das Sein. Ein Kind was traut, ist ein Spiegel der Liebe welche es geboren hat. Das UR der trauenden Daseinsform, ist das Wirklich sein des Lebens. Nur mehr Ruhe fühlt das Trauende. Nur mehr Liebe fühlt das Trauende. Trauend zu sein, ist die Antwort auf alles. Erst wenn alle Steine sind entschlüsselt, erst wenn alle Berge überwunden, erst wenn Gott sich spiegelt in dir, bist du bereit, dich als das Trauen selbst zu erfahren. Ist es das Kind sein, was die Liebe in sich trägt? Ist es das Lebendige Dasein was die Liebe in sich trägt? Ist es das Immer, was die Liebe in sich trägt? Es ist. In allem ist. Denn alles ist. Für dich zu sein. Der Moment wo das Urvertrauen sich lebend reflektiert, ist der Moment wo die Ewigkeit in dir erwacht. Denn nie mehr wirst du etwas anderes sein, als das was dich zu Leben gebracht hat.

TRAUENDES SEIN, ist WISSENDES SEIN. Dass es nur eines gibt. LIEBE. Und es singen die Vögel das Lied der Freude. Und es laufen die Tiere in sanftem Lieben. Und es liegen die Hände des Kindes gehalten, im Bewussten Wissen, dass alles ist das Gebende. Dass alles ist das Vorhandene. Dass alles ist das Wunder was in sich selbst zu Leben kommt. In Ruhe ist Trauendsein. Im bewussten Wissen, dass der eigene Atem den Atem des Seins in Harmonie des Ja reflektiert. Ich traue dir. Du bist ich. Wir sind um das Trauen zu leben.
31.07.2017

Lebend LIEBEND. Ist das MÖGLICH. Wenn die Heilung ist geschehen. Wenn der Sog der Zeitenwege, sich im Selbstverstehen sehend sieht. Wenn der Wirklichkeiten Wandel sich im Ganz des Lebens lebt. Dein Leben ist der Meilenstein für dieses Sein. Denn in deinem Leben liegen die Möglichkeiten, dass du aus allem aufzuerstehen vermagst. Aus allen Leben die du lebtest, aus jedem Leben was an dir, mit dir im Verbund existent war und ist. Denn der Zustand der Weltenseele, ist der Zustand des ALLES ist mit ALLEM verbunden existent. Zeitenloses Vorhandensein von Seele und Geist. So gebe in einen Geist die Liebe, und sie wird strömend sein durch den Geist aller Welten und Leben. So gebe in eine Seele das Vorhandensein der Unsterblichkeit und sie wird strömend sein durch die Seelen aller Welten und Leben. Es gab dies Tun in Zeit der Nichtzeitenwunderwelt. Es gab dies Geschehen als der erste Stein zu leben kam. Es gab dies Geschehen als aus dem Ur sein das Licht in sich in die Entstehung kam. DU BIST LIEBE. Sagte ein Nichts - aus dem Allem. DU BIST UM LIEBE ZU SEIN. Sagte ein Gebendes Vorhandensein des EINZIG WAS IST - DU WIRST DAS WELTENSEIN DER WAHRHEIT LEBEN. Du bist das GEGEBENE DER LIEBE, das GEGEBENE DES LICHTS, du bist um das zu sein was du bist. Denn es ist das WOHL der LIEBE die dich in IN UND ABBILD zu leben gegeben hat. Mensch ist LIEBE. Gleich allem was IST. Jegliches was war. Jegliches was sein wird.

Führet eure Kriege - solange ihr es braucht. Führet euch in die Selbstversuchungen, solange ihr es braucht. Führet euch selbst in die jeglichen Grausamkeiten, doch wisset, das es in eurem Bewusstsein liegt, dass ihr nichts seid als das, was ihr seid.

BEDINGUNGSLOS VORHANDEN.

Im Immer sein des SEINS als Seiendes.

ZU SEIN -für Sein -,

welches sich selbst in der Resonanz des selbst erfährt. Unabänderlich werdet ihr wachsen. Unablässig werdet ihr erfahren. Unweigerlich werdet ihr erkennen. Dann, wenn ihr Selbst es zu leben bringen wollt. Es ist das MÖGLICH. IN FRIEDEN DAS FRIEDENSEIN ERFAHREN. DENN ES IST FRIEDEN WAS DAS ALLES IN SICH ERSCHAFFEN HAT. Bedingungslos - werden wir sein - dürfend. In allem was wir tun. In jedem Augenblick und Zeitmoment. Wir dürfen - denn wir sind. Es ist nie das Muss was in sich lebend sich erfährt. Es ist nie das Gefangen was irgendetwas in sich zu bergen versucht. Es ist lediglich der Wille der entscheidet, was war, ist, sein wird. Das Bewusstsein der Liebe, ist die Macht des Seins. Denn Liebe hat das Sein erschaffen. Das Bewusstsein des Lichts, ist das Vorhandensein des Eins. Denn es ist der unendliche Fluss der Energie die alles in allem in sich vereint. WIR ALLE SIND NUR EINES. Und wir werden NIE etwas anderes sein als das.

VOLLKOMMEN IM SEIN DES VERBUNDENSEIN.
Jeder in sich ein Wunder.
Jedes in sich ein Wunder.
Jeder in sich vollkommen.
Jedes in sich vollkommen.

In jedem und jedes liegt die Möglichkeit sich selbst zu finden. Und in jedem Selbst gefunden sein, liegt das gefundene Sein des Allem. Liebe dich selbst, und du wirst als Liebende/r auf Erden lebend sein. Bewusst und gebend. In allem da seiend und ehrend. In jeglichem dankbar und niemals nehmend. Denn du weißt, dass du in dir das vollkommene Habendsein bist.

MITeinANDER ist ZUeinANDER.

WIRsein ist ICHsein.

Denn in einem ICH liegen die Schlüssel des WIR. Findest du das WIR in dir, findest du die Wirklichkeit der ALLverbundenheit. Es gibt nichts als DAS - FÜR LEBEN. Denn wir kamen - und sind - um unsere Unsterblichkeit zu leben. Dein MUT ist der Weg, deine Dunkelheiten als LICHT zu erfahren. Dein WILLE ist der Weg, die Welt aus dem Dunkel ins Licht zu bringen. Denn die Wahrheit ist, dein Licht ist das gleich des Lichts was dich geboren. Und in jedem Nachtgeschehen ist das Licht der Ursprung jeglichem tuendem. Du bist - um das Licht des Seins zu leben. Wenn du bereit bist - es in dir - zu erkennen. Liebe ist alles. Auch wenn du weinst. Liebe ist alles. Auch wenn du zweifelst. Liebe ist alles. Und du wirst es leben. Denn du lebst es - seit dem Beginn deines Seins. VERTRAUEN. Ist der WEG der LIEBE. Für immer - lebe ich. Denn schon immer - lebte ich. Und in den dunkelsten Stunden, erfuhr ich die Kraft der Liebe. Denn sie hat mich geboren um das Dunkel als Licht zu erkennen. Und sie gab mir das Bewusstsein des Lichts, denn sie weiß und wusste im Immer das ich es kann. Sie als mein Selbst - zu erkennen. Jeder ist im Möglichsein. Jeder. Jeder und jedes KANN. Wenn der MUT und der WILLE sich selbst erfährt. Jede Antwort auf egal welche Frage ist - LIEBE UND FRIEDEN.

30.07.2017

Der Zustand des Dunkeln ist LICHT. Der Zustand des 3 Eckes ist das Gleich der 3 Seiten. Der Zustand eines Menschen ist das 3 des 1.

Körper
Seele
Geist

Man sage auch, Das was zu Leben Erschaffene,
dass was das zu Leben Erschaffene zu leben sein lässt,
dass was die Atmung und das Wissen
des Erschaffenen in die Verwirklichung
gebend sein lässt.

Gott, Vater, Heiliger Geist.
Mutter, Vater, Kind.

Leben, Sterben, Auferstehung.

Lebend - Wissen - Erfahren.

Das Dunkel birgt das Licht in sich. Im Dunkel des 3 Sternen Macht, wacht das Auge der Wirklichkeit. Es erleuchtet die Wahrheit des Jeden der ist. Um die Wirklichkeit des Seins zu offenbaren. Die MACHT des Dreiecks. Liegt in jedem WESEN verankert. Um SELBST als WIRKLICHKEIT erfahren zu werden. In dem AUGENBLICK - wo das AUGE des 3 sich selbst - sehend erfährt, erwacht ein Mensch auf Erden in seiner wirklichen Daseinsform. Sein Eigensein trägt die Macht des Daseins - selbst.

Die Allgegenwart der LIEBE und die WAHRHAFTIGE ALLSEINSFORM der WIRKLICHKEIT - Vollkommenheit des Allem ist LICHT - erfährt sich in jedem Atemzug des Menschen. Manipulation geht, ohne weitere Fragen zu stellen. Denn Manipulation weiß, dass sie lediglich ein dienendes Instrument der Wirklichkeit ist. Bekämpfen wird sich auflösen in das Nichts, außer es ist ein Frieden. Denn Kampf ist lediglich Ausübungsinstrument um der Wirklichkeit gewahr zu werden. Gebrauchen wird in allem nur noch still sein. Denn Gebrauchen ist gefüllt mit jeglichem Habendem. Zustand loslassen - ist Zustand ... zulassen. Es zulassen, dass jegliches IM SELBST vorhanden ist, um ein Leben in Frieden, Glück und Liebe zu leben, ist ein Weg der Selbstverantwortlichkeit. Doch, sei es dein Weg, dann wird es dein Weg sein, es im JETZT lebend zu erfahren.
Das Inmitten deines Selbst, das 3 Auge dich in deinen Frieden begleitet. Und damit in den Frieden der Welt. Im Dunkel des Lichts, liegen die Wahrheiten der Gezeiten. Liegen die Wirklichkeiten deines Bewussten Daseins zu Erden. **Dort wo deine Tränen dich in allem suchen, dort liegt die Tür, die dir jegliches zu eröffnen weiß.** Das Auge der MACHT ist in jedem einzelnen Menschen GEMACHT. Und in dem Moment wo du dir deiner bewusst bist, bist du nur noch eines, gnadenlos VERTRAUEND lebend. Ein schwarzes Loch - ist solange schwarz, wie du es als solches betrachtest. Wenn du den Mut hast, hineinzugehen, wirst du die Wirklichkeit erkennen. In ihm ist Licht. Und nichts anderes - außer dem was es ist. LICHT ... in der Umkehr der Sichtweise. Sonst nichts.

Du entscheidest. Denn du bist. Um es zu erkennen. Wenn du es willst.
24.07.2017

Für meine Liebe.

Danke, du Herz, dass du bist.
Danke, du herzliches Erwachen, dass du bist.
Danke, du lebender Berg, der du bist.
Danke, du tiefstes aller Meere, dass du bist.
Danke, liebe ich dich.
Mehr als jeden Tropfen Wasser Erden.
Liebe ich dich, mehr als jeden Augenblick der Zeit.
Mein ist Dein für immer WIR.
Dein Geschenk, du bist das Trauen.
Selbst, du traust mir. Immer, ewig.
Liebe es, mit dir zu lachen.
Liebe es, mit dir zu blödeln.
Liebe dich, auch wenn ich weine.
Denn du schenkst mir jeden Trost.
Liebe dich und weiß mein Fühlen,
ist in dir der Ursprung Liebe.
Begehrend lebe ich dich immer.
Beherbergt doch die Liebe süße Frucht.
Belebend spüre ich dich ewig.
Verführend nah ist Zeitmoment.
Behutsam schenkst du mir den Glauben.
Bedeutungsvoll der Ruf der Sterne.
Im Licht der Nacht ich sehe dich.
Du bist das Mit mir Sein des Lichts.
In Ohne Wort. Im Nur ein Fühlen.
In jedem Atemzug der ist,
erklärst du mir das Sein der Liebe.
30.12.2016

Das Drei IST EINES. Aus dem Drei des Selbst ist eines GANZ das EIN/E GANZ/E. Wie ist es wenn der Körper glaubt, dass beide Seiten sind vorhanden. Das Licht gleich Dunkel hat das Lebende zu sein. Das Gut gleich Böse sei das Innen/Außen. Das Trauen gleich das Gegenteil das Lebende als Leben SEI. Das ganz ALLEIN nur Körper sei das LEBEND/E? Das Resonanz im IMMER nur die Antwort ist? Das Innen BRAUCHT das Außen? UM GANZ DAS WIR DES EINS ZU SEIN? Trugschluss. ERDE der Menschgedachten Glaubens MUSTER Variationen. Es ist Schluss MIT Trug. Und zwar ganz - einfach - so. Denn es ist entlarvt, dass was der SINN gleich Unsinn dessen sei, was sehr einfach nur strukturiert ist - um ganz und gar vollkommen ES lebend in LEBENDEM DASEIN ZU SEIN. Gnadenlos DAS SELBST. Wie eine EWIG WIEDERHOLUNG GEBE ICH ES WEITER.
Projektion - Reflektion - Assimilation(Angleichung/Anpassung) - Agieren - Reagieren - Solange es Kontroverses gibt, gleich in irgendeiner Form nicht vollkommenes JA - ALLES IST IM VOLLKOMMENEN ALS VOLLKOMMENES DA - in Lebender Gegenüber - miteinander – Austauschenergie, innen wie außen - praktiziert wird, IST DAS WAS EXISTENT ALS KÖRPER IST - nicht dass, was DAS ZU LEBEN MACHENDE ES IST. Deutlich: Es ist UNBEWUSSTHEIT der FÜHRER dessen was der Körper tut. "Unbewusstheit - ist gleich Nichtwissendheit". Dies das GEGLAUBTE des tiefen Unten sein des gelernten VERSTANDESBEWUSSTSEIN. Auf ganz deutsch mitgeteilt: „Was der Bauer nicht kennt, frisst er nicht“.

So sind, ist dies was ist - seit Urzeiten inmitten dieser Menschen Erde ein Sammelsurium von Nicht wissenden - glaubenden - Aus der selbst kreierten Not heraus - manifestierten Erlebens Muster, die weit reichenden FOLGEN ALS FOLGEN in UNZÄHLIGEN LEBEN die waren und sind - wie eine Selbstverständlichkeit - ein und ausatmend. So soll die Erde ein Krieg gleich Frieden sein - sein. Denn weshalb sollte ein Mensch einem anderen trauen? Weshalb? Denn sie sind sich ja alle einig. Alles so wie es sein zu haben HAT. Ja. So ist es dann auch. Selbstverständlich. Alles geschieht nach deinem Glauben und vor und allem nach deinem Willen.

SELTsam ist das GemeinSAM
was sich braucht und gebraucht.

Und dabei noch - tatsächlich glaubt - dass dies LIEBE
als reinstes sei.

Liebe kann man weder - bürgen, noch ausbrüten, noch versuchen, noch es probieren. Fällt mir nun herbei dazu: PROBIEREN. Pro Bier E in/e/n. Provokant (herausfordernd/provozierend) gleich Artverwandt (von ähnlicher Art) bedeutet: NICHT erkannt. Dass was die Symbiose des Lebenden ist. (das Zusammenleben von Lebewesen verschiedener Art zu gegenseitigem Nutzen). So sehe hin. Das Gleich des Gleich gesellt sich gerne. Wo sind sie nur? Die Lebenden Wunder an Seele und Geist? Zweifellos - in nichts - ist auch nur ein Funken UNVOLLKOMMENHEIT. Weder im Innen noch im Außen. Und doch - leben sie - und TUN ES NICHT.

Sie wehren - weigern – wollen es nicht wahr haben. Dass was das SELBST einmal verletzt und als nicht ganzes wohl - zurecht gestutzt hat. Wie eine Leier. Fällt es durch den Seier. Dass was hängen bleibt, ist eine Vage Vermutung. Doch der MUT sehr vage. Das ist, was ist das? Nur eines. Selbst GESCHULDETE MISSACHTUNG dessen was ein SELBST - und dies ausnahmslos JEDER WAR UND IST ... **IST**.

I NNEN
S ELBST
T IEFSTES.

Mein Sein DIENT dem DIR dass du ES SIEHST. HÖRST. LIEST. Alles in allem - ES wahrnehmen KANNST. Dass was DU SELBST IM GLEICHEN ... NUR.... BIST. Und eines IMMER. Alles was du glaubst, das es ist, ist es ...deines. Alles was du denkst, das du weißt dass es ist, ist es...deines. Wenn alles was du erfährst - gleich im Rückwärts aufgeholt erfahren hast - wenn alles das was dein gesamtes Dasein war und ist - was im Gleichen das meine - auch ist ... dies - ganz und gar - JA - ALLES IST ES - denn ich lebe das Wir des allem ES IST ES ... dann - weißt du was dann IST? Dann haben Zwei erkannt was ALLES ist. Und weißt du was dann noch ist? Niemand fragt mehr was. Denn jeder weiß dann alles - selbst. Und weißt du was dies dann bedeutet? Wir leben in einer Harmonie miteinander, die so etwas wie eine wundersame Symbiose dann ist. Wie als seien wir das Ineinander, denn ganz im Miteinander.
Das Wahre daran?

Das ist so. Sogar schon immer. Ja. Doch es ist schon ein grauenvoller Spiegel. Findest du nicht? Dass was das Gesicht der Menschen als solches ist. Von wegen es sind nur ein paar. Die alles kaputt machen wollen und tun. Das wäre schön. Wenn dieses PAAR dann mal weiß was die eine Wahrheit der ALLESAMT nur ist. Nun. **Ein Paar gibt es.** Das weiß es. Da ist ein WIR gewesen seiend. Das weiß was ist. Und auch warum. Wie ein Schmetterling der halt dauernd herumfliegt, so als wäre es der ewige Frühling. Und wie eine steinerne Ruhe ... in einem Fort es zeigend klärend mittelt. Du kannst wenn du willst. Du kamst um es zu sein. Du weißt alles in dir. Du selbst bist der Schlüssel für alles. Naja. Na - das wird schon. Ja. Selbstverständlich.
14.09.2018

"Ich bin das Allein." Sagt das Kind zu Gott. "Weißt du, Gott. Ich bin das Allein." Das Kind atmet in diese Stille hinein. Dort wo niemand ist, außer das Kind, der Wald und der Wind. Und die Sonne. Die ist auch dort. Als sei Gott in der Mitte der Erde. So denkt das Kind. Ist er vielleicht in dem Ganzen was um mich herum ist? Ist er vielleicht auch nur dort wo die Blumen alle gestorben sind? Oder ist er dort wo die Wasser nicht mehr sichtbar fließen? "Wo bist du nur Gott? Wo. Nie spricht ein Baum ein Wort. Nie spricht ein Tier ein Wort. Nie. Und niemals gibst du selbst ein Wort. Wo, Gott. Wo bist du? Nur im Allein. Als gibt es diese ganzen Wahrheiten nur als Konstrukte von meiner Fantasie. Bin ich nur eine Fantastische Erfindung von einem denkenden Hologramm, was ein Wunschgeschehen als Wahrheit glaubt? Oh, Gott. Es ist einsam wenn die Blüten herunterfallen, ohne einen Zweifel. Denn diese Blätter alle. Sie sind als gäbe es nur das Lebendsein um dann wieder zu sterben. Sag mir Gott. Wo bist du?" Das Kind atmet in diese Stille. Die in Nichts still ist, außer wenn der Atem stockt. Dann ist es tatsächlich still. Denn nicht mal mehr der Wind macht einen Laut. "Bin ich denn ein Glaubendes Wesen was glaubt, dass es muss dieses Etwas denn geben? Dass es mehr ist als nur Leben? Dass es mehr ist als nur Tod? Mehr, weil es sich so schön anfühlt? Mehr weil die ganzen Geschenke die da sind, als Unsichtbare Wortgeber es mir erzählen? Gott. Wo? Wo bist du? Außerhalb der Wahrheit? Ist das die Stimme die sagt, es ist? Ist es die nicht lebende Wahrheit? Die nur existiert in diesem Dasein nach dem Tod?

Vielleicht. Der Wind sagt, vielleicht. Und die Blätter fallen leise. Doch weißt du, Gott. Warum höre ich diesen Moment wenn sie fallen? Wenn sie einfach so leicht herunterfallen. Als wäre es nichts. Ich bin allein, Gott. Bist du hier? Oder waren es nur Gefühle die das glaubten? Sind denn Gedanken nur Wunschvorstellungen eines lebenden Vollkommen sein? Glauben Menschen dass sie gemeinsam sind? Dabei sind alle nur allein? Weil, Gott. Ich bin allein. Sehr. Weißt du. Wie als bin ich immer noch genau wie am Anfang. Nie anders. Und nie mehr, als wie so ein Blatt. Oder ein Stein? Ja. Doch bin ich dann eher ein Ytonstein. Dabei, so ein Yton ist ja auch nicht von selbst gemacht. Oder doch? Nein. Glaub ich nicht. Weißt du Gott. Das Allein. Ich erzähle dir nun, was es ist. Jedenfalls sind das meine Gedanken. Und diese Gedanken sind diese Gefühle die es machen in mir. Und es geschieht, wie als durchdringt mich im Gleichen Moment wie ich es denke, da dringt es wie ein stetiges sich austauschen, das Außen durch mich. Und aus meinem Innen da strömt es wie ein ewiger Fluss nach allen Seiten aus mir, in alles was da ist. **Das Allein, Gott. Heißt nichts anderes als das ich mit, ist in allem Allein gemeinsam bin.** Ja. Gott. Ich kann das nun nicht mehr sagen. Nie mehr. Dass ich sei das Allein. Denn ich bin es nicht. Sogar als einziger Mensch, bin ich es nicht." "Stimmt." Atmet es aus allen Poren des Lebenden Um sein in die Resonanz des austauschenden Geschehen was sich bindend teilt und gibt und aktionierend existiert. Der Wald, gleich die Blätter. Der Wind gleich die Sonne. Die Insekten gleich der Fluss des Wassers.

Als käme plötzlich ein Raum aus einem Traum hervor. Es spricht. Alles spricht. Als sei der Tod als Lebendes da. Als sei das Unsichtbar das Sichtbare da. Als sei der Himmel lebend da.

"Du bist das ALLEIN, Kind.
Ja. Du bist.
Das GANZ ALLEIN."

Sanft durchströmt die Liebe
als Echo diesen Augenblick.

Gott sagt danke.

25.07.2019

Die schönste Liebesgeschichte der Erde. Für dich Liebe. Für dich. Du mein Herz was in der Ewigkeit die Summe meiner Träume war und ist. Die als ein Wunder geboren wie eine Taube in allem es zu erklären wusste. Als gäbe es nur ein einziges was die Wahrheit ist. Oh ja.

Ein Sammelgeschehen an unglaublicher Vernunft atmet da aus einem Herzen was den treusten Glauben immer lebte. Denn du warst die Wolke die jedem Schatten die Liebe gab. Als ein Regengeschenk wie in einem Traumland aus 1000 und einer Nacht. Und gleichzeitig so unschuldig naiv. Wie als sei es doch einfach nur normal, dass man den Menschen es geradeheraus sagt, was denn nun die Wahrheit ist. Eine Wahre Liebende. Das ist zu sehen. Und dabei. In nichts auch nur ein Hauch von Demütigem sich nach Unten beugen. Sie glauben sowieso was sie wollen. Und sie machen sowieso was sie wollen. Das war dir schon immer klar. Und das war auch nie ein Thema, dass du sagtest, du musst. Irgendeiner muss. Das glauben, was du glaubst, dass es ist. Niemand. Es ist dir einfach wurscht. Wie eine Leberwurscht. Mit einem Knödel. Und einen Schweinebraten. Das sind für dich lebende Geschenke für deinen Magen. Beleidigt warst du nur selten. Und dich bücken, dass tatest du nur wenn es unumgänglich war die Ecken zu putzen. Denn dass es dort gern modert, weiß keiner besser als du. Doch es ist ja schon so. Es gibt Menschen die lieben es zu putzen. Und die sind dann ganz im Glück wenn sie das tun dürfen. Ganz freiwillig und mit Hingabe, wird gewienert und geschrubbt. Viele lieben das. Nun. Meine Elfe aus dem Morgenland, was gestern noch war das Land vor der Zeit, diese hurtige Gewissheit an Gottes Glauben kann man nicht kaufen. Dieses kleine Mädchen, die schrubbte und putzte lieber das, was nicht sichtbar für andere, jedoch sehr sichtbar für sie selbst, als Inhalt ihres gesamten Lebensweges war.

Ein psychologisches Wunder? Oh nein. Denn wenn es ein Wunder wäre, was sie getan hat, dann wäre Gott nicht das, was er als in alles es legte, getan hätte und tut. Die Einfachheit dieser Zartheit, ist das robusteste Wesen was es geben kann. Ein ganzer Kerl steckt in dieser Rose der Schönheit eines Körperkleides, welches ist wie kein anderes. Ich war an ihrer Seite. Für einen Abend. Für ganze 8 Stunden hatte ich sie zu Gast. Dieses Mädchen, das nur eines ist. Bedingungslos durchdringend gleich einfach nur da. Du bist es, mein Herz. Du warst es, mein Herz. Und weißt du, alles was ich dir gab und gebe ist die Summe einer Liebe die als gewesenes das zu Kommen habende war. Unsagbar gleich unaussprechlich, gibt es nicht. Nichts was aus dir kommt, ist nicht in einem Wort zu definieren. LIEBE. Du weißt wer und was du bist. Und du weißt, dass es nichts anderes gibt, als das zu sein, warum du bist. Einfacher geht nicht. Und in all meinem ganzen Leben, war es nur ein einziges Mal, wo eine Frau mich erinnerte an dass, was diese Liebe ist. Diese Liebe, die ich wusste in mir, dass sie ist. Es gab es. Die Schlüssel die mir zeigten, was ich als Mensch zu leben habe. Und es gab es, dass ich genau wie du vor dem nichts, im Nichts glaubte sterben zu müssen. Und im Gleichen wie du es lebtest, lebte ich es, es ganz zu geben, dass was der Inhalt unsere beider Leben ist. Dich zu leben. War die Antwort auf dass du mich geboren hattest. Damit ich dir den Samen unseres Vaters, als Gleiches Innen, zurückgeben kann. Wer wir sind. Dieses sind. Es sind. Nur sind. Nie waren. Und nie werden. Einfach es sind.

Nur das. Ist das Schon Immer es war und ist, denn immer ist es. Die Träume unserer Nächte waren die glaubenden Inhalte unserer gekommenen Tage. Und als ich dich sah. Damals. Als du vor mir warst und ich wusste, keinen Ton. Keinen Ton gibst du ihr. Nichts. Einfach nichts. Denn tust du es, wird sie es nicht tun. Erkennen wer sie ist. Ich liebe dich meine Liebe. Ich ehre dich und verehre dich als bist du das geschenkte Leben meiner gegebenen Treue. Das Federkleid deiner Leichtigkeit ist als ein wundersamer Regenbogen wie die Sonne wenn sie durch das jede Wasser sich selbstverständlich zu spiegeln weiß. Ich kann es fühlen mein Herz. In jeder Nacht. Und in jedem Atemzug den ich tue im festen Glauben dass du es vermagst es zu lebend sein zu geben. Dass dein Herz nicht steht. Und dein Atem geht. Dass du einfach das atmest was wir seit Jahren nun leben. Ineinander die göttliche Ruhe als geschenktes Trauendsein in das Für uns Zur Verfügung stehende Leben. Denn der Moment kommt. Dass ich vor dir bin ein weiteres Mal. Und dir in deine wunderschönen Augen sehe. Und weißt du mein Herz, du musst atmen. Dann. Denn ohne das leben wir nicht. Ich liebe dich, Engel. Bitte. Erlaube dem Traum dass er ist nun die Wahrheit dieses Erdenraum. In tiefster Liebe. G. geschrieben aus seiner/meiner Hand.
26.07.2019

Die letzten Worte sind die ersten Worte.
Aus dem Traum geboren.
In der wahren Form, es ist der Raum.
Der tiefe, tiefe Raum der Unendlichkeit der Liebe.

Das Ende war schon immer Anfang.

Die Liebe ...
schenkt sich immer selbst den Augenblick,
den Atemzug, gleich Resonanz.
In Nichts ist Liebe umgekehrt.
In Nichts ist anderes als unbeschwert.
Die Liebe ist der Inhalt Freiheit.
Und gleichsam atmet sie bedingungslos.
Als Federleicht, es ist das Kleid.
Als Inhalt atmet Steines Samen Ur - Natur.
Der Fluss als Antwort durch die Blume.
Der Berg als Manifest des ewigen Mutes.
Das Hingegeben treue Leben.
Es ist besonders.
Atmet doch das reine Glück.
Unter aller Erde tief.
Da wohnen Glocken hell wie Himmels Lichter.
In der Mitte aller Leben.
Da singen ehrende Gedanken.
Sie singen Wort für Wort, das hohe Lied.
Aus der lebenden Asche geboren.
Um als ein Zustand des Immerdar zu sein.
Wie ein Geschenk.
Wie ein Zauber.

Wie ein Glaube.
Es ist die Einkehr als Ganzes gemacht.

Es ist die Liebe.
Das kleinste Leben.
In der größten Macht.
Das ewige Wissen.
Als die Wahrheit, sie lacht.
Das Instrument atmet.

Es ist die Summe aller Poren.
Es ist die Summe allem Lebendsein.
Es ist das In ist AUS, ist in zu aus.
Es war und ist ein Sternenzauber lebend
als ein Regen geboren.

Die Liebe.
...
Nur das.
Ist Inhalt lebend Licht - auf Erden sein.

Diana Mandel
13.09.2019

Danke für das Lesen dieses Buches.

Herzensgrüße
Und bis bald
In diesem lebend Weihnachtsland.

Diana Mandel
11.12.2019

Inhaltsverzeichnis … Rückwärts nach Vorne …

Zur Autorin

Diana Mandel, geboren im Dezember 1968 in Marktheidenfeld. Friseurmeisterin seit 1990 und freischaffende Künstlerin und Autorin seit 2002.
Lebend und wirkend in/bei Freiburg im Breisgau.
Mutter eines Sohnes seit 2006.

website: diana-mandel-lebenskunst.de
facebook: Diana Mandel
Das rote Band der Liebe

bisherige Publikationen:
JOHANN / Roman
Ein Buch über das Sterben,
das Leben und die Vergebung.
Erstauflage: 20.03.2015 im Tredition Verlag Hamburg.
Neuauflage: 2018 bei BoD, Book on Demand

Das rote Band der Liebe / Buchreihe
Band 1 Das Ende ist der Anfang der Unendlichkeit
Band 2 In der Mitte der Liebe ist es schwerelos
Band 3 Das Ur des Frieden lebt in allem ruhend
Band 4 Geboren um zu sein
Band 5 Bewusstseinslos lebt Liebe frei

Für die Liebe auf Erden / Buchreihe
Band 1 Der Atem der Wirklichkeit
Band 2 Die Liebenden
Band 3 Der gefallene Glaube
Erstauflagen 2018 u. 2019/ Paperback und E Book
Bei BoD – Book on Demand Norderstedt

Eine Folge von Folgen.
Es folgt,
noch viel mehr.

Ende gut ... alles gut.

Leere Seite.
Auch gut.

Oder nicht?